T0349465

METZLER

BÄRENREITER

Illustrierte Geschichte der Oper

Beatrix Gehlhoff

METZLER

BÄRENREITER

Bild S. 2: Vittoria Yeo als Aida und Ekaterina Semenchuk als Amneris in einer Inszenierung von Giuseppe Verdis *Aida* in der Regie von Shirin Neshat und unter der musikalischen Leitung von Riccardo Muti bei den Salzburger Festspielen 2017

EINLEITUNG

Die Oper – ein in Musik gesetztes Drama

»Von allen Arten, wohlgeartete Seelen zu ergötzen, die der Mensch erfand, ist die Oper vielleicht die sinnigste und vollendetste.« Das erklärte 1755 der Italiener Francesco Algarotti, künstlerischer Berater des Preußenkönigs Friedrich II., in seinem *Versuch über die Oper*. Etwa um die gleiche Zeit befand der Literat und Philosoph Johann Christoph Gottsched, die Oper sei »das unnatürlichste und ungereimteste Werk, das der menschliche Verstand jemals erfunden hat«. Nicht anders als in der Gegenwart gingen vor mehr als 250 Jahren die Meinungen über die Oper also weit auseinander, auch wenn wir für Zuneigung oder Ablehnung gegenüber dem Musiktheater heute andere Worte wählen. Für die einen ist Oper eine langweilige, elitäre Angelegenheit, die zudem noch mit öffentlichen Mitteln hoch subventioniert wird, die anderen geraten ins Schwärmen, wenn sie an Asmik Grigorian als schrecklich-schöne Salome in der Fernsehaufzeichnung von den Salzburger Festspielen oder an den ergreifenden Gefangenenchor im *Fidelio* neulich im Stadttheater denken. Aber wovon ist hier überhaupt die Rede?

Eine Oper ist ein dramatisches Bühnenwerk, bei dem der Text ganz oder überwiegend gesungen wird und die Musik die Wirkung steigert und vertieft; oft ist auch das Ballett ein wesentlicher Bestandteil. In gewissem Sinne ist die Oper ein Gesamtkunstwerk, vereint sie doch die verschiedenen Künste, nämlich nicht nur Musik, Dichtung und Tanz, sondern durch das Bühnenbild auch Architektur und Malerei. Allerdings stehen die Künste dabei nicht gleichberechtigt nebeneinander, und insbesondere die Frage, ob der Musik oder dem Wort der Vorrang einzuräumen sei, ist in der Geschichte der Oper immer wieder heftig und mit unterschiedlichen Ergebnissen diskutiert worden. Die Gattungsbezeichnung, die sich im 17. Jahrhundert allmählich einbürgerte, leitet sich vom italienischen *opera musicale* – musikalisches Werk – ab. Innerhalb dieses Oberbegriffs existiert eine verwirrende Vielfalt an verschiedensten Bezeichnungen, die das Stück einem bestimmten Genre zuordnen (Singspiel, Tragédie lyrique) oder von Librettisten und Komponisten als genauere Charakterisierung ihrer Schöpfung hinzugefügt wurden (tragisches Melodram, Musik in Bildern).

Vom Sprechtheater unterscheidet sich die Oper natürlich in erster Linie durch die Musik. Jedoch sind die Übergänge fließend, und es gibt eine Reihe von Mischformen wie etwa das Songspiel oder die Posse mit Gesang. Die Operette, die im 19. Jahrhundert entstandene »kleine Oper«, grenzt sich von ihrer großen Schwester zum einen durch gesprochene Dialoge ab – zu dieser Zeit hatte sich in der Oper weitgehend durchgesetzt, dass die Personen sich singend miteinander unterhalten. Zum anderen gibt es in der Operette keine tragischen Stoffe, die Handlung ist komödienhaft, der Tonfall häufig ironisch oder auch sentimental, die musikalischen Formen sind einfacher und leichter verständlich. Das in den 1920er-Jahren in den USA aus der Taufe gehobene Musical kombiniert – wie die Oper – Schaupiel, Gesang und Tanz, hat aber ganz andere Produktionsbedingungen, denn es muss sich wirtschaftlich selbst tragen. Damit steht der Unterhaltungsaspekt im Vordergrund. Das Musical braucht populäre, aber keineswegs nur »seichte« Stoffe und eingängige Musik, und seine Darsteller sind Allrounder, die singen, spielen und tanzen können.

Blick von der Bühne der Mailänder Scala in den Zuschauerraum; um1820

In ihrer traditionellen Form ist die Oper in Akte gegliedert, die wiederum jeweils aus mehreren Szenen oder Auftritten bestehen. Bis weit ins 19. Jahrhundert hinein war es üblich, die Oper mit einem Orchestervorspiel, der Ouvertüre, zu eröffnen. Die Unterteilung in einzelne Nummern, nämlich in Rezitativ, in dem sich die Handlung vollzieht, und Arie, in der das Geschehen reflektiert und kommentiert wird, verlor im Verlauf des 19. Jahrhunderts immer mehr an Bedeutung. An ihre Stelle traten durchgehende – durchkomponierte – Szenen, in die auch Ensembles (der gemeinsame Gesang mehrerer Solostimmen, angefangen beim Duett) und Chöre integriert wurden.

Die meisten Opern handeln von Liebe und Hass, Rache, Zorn und Leidenschaft, Heldentum und Menschlichkeit, von Machtbesessenheit und der Grausamkeit des Schicksals – kurz: von Emotionen, die den meisten von uns in der einen oder anderen Weise vertraut sind. All das spielt sich allerdings in einer ganz und gar künstlichen Atmosphäre ab, denn wer streitet schon singend mit seinem Widersacher oder tut seine Verliebtheit in ausgedehnten Koloraturen kund? Und warum stellt sich der Held, statt gleich zu fliehen, erst einmal an die Rampe und teilt uns singend seine Empfindungen mit, was seinem Verfolger doch erst Zeit und Gelegenheit gibt, ihn festzunehmen? Während diese Künstlichkeit für inneren Abstand zu den dargestellten Emotionen sorgt, bringt uns die Musik die Empfindungen besonders nahe, ist sie doch in der Lage, diese ganz unmittelbar und ohne Worte auszudrücken. Das mag einer der gewichtigen Gründe dafür sein, dass sich die Gattung Oper auch 400 Jahre nach ihrer Entstehung – und obwohl sie in dieser Zeit mehr als einmal totgesagt wurde – so großer Beliebtheit erfreut.

Die deutsche Theater- und Orchesterlandschaft

Die Oper ist zwar in Italien »erfunden« worden, in Deutschland wird ihre Pflege heute aber besonders großgeschrieben. Das liegt nicht zuletzt an unserer dichten und vielfältigen Theater- und Orchesterlandschaft, die für die Aufnahme in die UNESCO-Liste des Immateriellen Kulturerbes der Menschheit vorgeschlagen ist. Ihre historischen Wurzeln liegen in der Kleinstaaterei auf dem Gebiet des heutigen Deutschlands. Im 17. und 18. Jahrhundert gründeten Könige, Fürsten und Herzöge Theater und Orchester zu Repräsentationszwecken und um ihrer Hingabe an Kunst und Kultur Ausdruck zu geben. Später vollzog ein selbstbewusstes Bürgertum eigene Gründungen und baute die vorhandenen Hof- und Residenztheater weiter aus. Existieren kann die Theaterlandschaft allerdings nur dank öffentlicher Finanzierung, und die Oper schlägt dabei mit den höchsten Kosten zu Buche. Den Löwenanteil der finanziellen Lasten beanspruchen die Personalkosten, die durchschnittlich rund drei Viertel des Etats verschlingen, und zwar jeweils etwa zur Hälfte für das künstlerische und das nichtkünstlerische Personal. Das Staatstheater Stuttgart, gemessen an Budget und Personal aktuell das größte deutsche Theaterunternehmen, beschäftigt in drei Sparten (Oper, Ballett, Schauspiel) zusammen mehr als 1 300 festangestellte Mitarbeiter. Durchschnittlich werden nur etwa 18 % des Etats aus Einnahmen finanziert, der Rest je etwa zur Hälfte aus Zuschüssen der

Kommune und des Bundeslandes. Einsparen lässt sich kaum etwas am Budget eines Opernhauses, denn die Zahl der Orchestermusiker und Sänger, aber auch die der Kulissenbauer, Bühnenmaler und Kostümschneider, ohne die eine Vorstellung im leeren Raum und in Alltagskleidung stattfinden müsste, oder der vielen anderen Menschen, die sich im Zusammenhang mit der Opernaufführung um technische und logistische Belange kümmern, kann nicht oder nur mit hohen Qualitätseinbußen verringert werden. Um die Kosten dennoch zu reduzieren, sind in den letzten Jahren an etlichen Theatern die Opernsparten erheblich verkleinert, durch Tourneetheater ersetzt oder ganz geschlossen worden. Infolgedessen ist die Anzahl der Veranstaltungen im Musiktheater um mehr als 2000 gesunken; dennoch waren in der Saison 2015/16 auf deutschen Bühnen noch fast 6800 Aufführungen von Opern und Operetten zu sehen. Mit dem Angebot ging seit dem Jahr 2000 zwangsläufig auch die Zahl der Opernbesucher von etwa 4,7 Mio. auf 3,9 Mio. jährlich zurück, während sich die Auslastung der Opernhäuser mit etwa 75 % kaum verändert hat.

Aüfführung der *Zauber-flöte* von W. A. Mozart an der Staatsoper Berlin, 2019

DIE ENTSTEHUNG DER OPER

Rückbesinnung auf antike Vorbilder

Die Oper ist ein Geisteskind der Renaissance, steht aber am Beginn einer neuen musikalischen Epoche, des Barocks. Ihre Entstehung verdankt sie dem Wunsch, die Dramen der griechischen Antike wieder aufleben zu lassen. Seit der Mitte des 15. Jahrhunderts hatte man in weiten Teilen Europas begonnen, das mittelalterliche Menschenbild, das stark auf Gott und das Jenseits ausgerichtet war, hinter sich zu lassen. An seine Stelle trat eine humanistische Geisteshaltung. Im Mittelpunkt stand nun das zur *humanitas*, zur Menschlichkeit, erzogene Individuum, das sich aus den Strukturen der übermächtigen Kirche und der Feudalherrschaft befreite. Humanistische Bildung sollte den Menschen befähigen, seine wahre Bestimmung zu erkennen und seine Fähigkeiten optimal zu entfalten. Entscheidend begünstigt wurde die veränderte Geisteshaltung zum einen durch die Entdeckung neuer Erdteile und die Intensivierung des Handels, die zu größerem Wohlstand führte, zum anderen durch die Erfindung des Buchdrucks, die breiteren Gesellschaftsschichten Zugang zu Bildung ermöglichte. Vorbild für die neue Sicht auf den Menschen war die griechische und römische Antike, deren Wiedergeburt man anstrebte.

In Florenz, einem der geistigen und künstlerischen Zentren der Renaissance, bildete sich um 1576 die Florentiner Camerata, ein Kreis hochrangiger Gelehrter, Dichter und Musiker, die sich eine möglichst originalgetreue Aufführung antiker griechischer Dramen zum Ziel setzte. Die Mitglieder der Camerata waren überzeugt, dass ursprünglich nicht nur die Chorteile des griechischen Dramas, die das Geschehen unterbrachen und kommentierten, gesungen wurden, sondern möglicherweise auch der gesamte Text aller übrigen Rollen. Aus dieser Vorstellung entwickelten sie eine neue Art des einstimmigen Sprechgesangs, der zum einen auf Textverständlichkeit, zum anderen auf die Verdeutlichung bestimmter Affekte abzielte. Begleitet wurde der Gesang nur durch einige stützende Akkorde. Das in der Renaissance vorherrschende vielstimmige musikalische Geflecht der Polyphonie wurde verworfen. Im Vorwort zu seiner Sammlung *Nuove Musiche* (Florenz 1601) schrieb der Komponist Giulio Caccini:

»Es gibt einleuchtende Gründe, weswegen ich die kontrapunktische Musik nicht sonderlich zu schätzen vermag: Denn sie zerstört den Zusammenhang der Worte und das Versmaß der Dichtung, indem bald Silben verlängert, bald verkürzt werden, nur um den Gesetzen des Kontrapunkts gerecht zu werden. Es ist ein wahres Zerfleischen der Poesie, was in der kontrapunktischen Musik geschieht. Ich habe mich hingegen an die von Platon und anderen Philosophen so gelobte Manier gehalten, denn jene stellten fest, dass Musik in erster Linie Sprache und Rhythmus sei und dann erst Melodie und nicht umgekehrt [...] Nachdem also mein Prinzip feststand, komponierte ich einige der Sologesänge, geleitet von der Überzeugung, dass nur solchem Gesange die Kraft innewohnt, die Gemüter zu erfreuen und zu erschüttern. In diesen Kompositionen habe ich stets danach getrachtet, den Sinn der Worte auszudrücken, indem ich, entsprechend den Gefühlsregungen bald mehr, bald weniger leidenschaftliche Saiten anschlug.«

Als die erste Oper, erarbeitet nach den Prinzipien der Florentiner Camerata, gilt Iacopo Peris (1561–1633) Werk *La Dafne*, das zu Karneval 1598 aufgeführt wurde.

Allerdings sind davon nur Fragmente und das Libretto erhalten. Letzteres stammte von Ottavio Rinuccini, mit dem Peri schon bei Intermedien, prunkvollen musikalischen Zwischenspielen zwischen den Akten eines Schauspiels, für den Hof der mächtigen Florentiner Medici-Dynastie zusammengearbeitet hatte. Sie hatten oft keinen Zusammenhang mit der Handlung des Theaterstücks und boten eine bunte Mischung aus Musik, Tänzen, Maskenaufzügen oder sogar akrobatischen Darbietungen. Erhalten sind dagegen Peris *Euridice* (1600) und die gleichnamige und demselben Libretto folgende Oper von Giulio Caccini (1602). Beide sind im neuen *stile recitativo* vertont, dem erzählenden Gesang, der zugleich die zugehörigen Gemütsbewegungen – Affekte – zum Ausdruck brachte. Während Peri sich sehr strikt an die Vorgaben der Camerata hielt, schmückte Caccini den Gesang immer wieder mit Koloraturen aus, um die Dramatik des Geschehens zu verdeutlichen.

In diesen frühen Opern wird der dem Sprachfluss folgende, nur sparsam begleitete Sologesang, in dem sich die Handlung abspielt, durch Chöre unterbrochen. Diese kommentieren das Geschehen – wie in der antiken Tragödie –, und die Musik tritt stärker in den Vordergrund. Die Gestaltung der Chorblöcke orientierte sich an den populären Intermedien.

Der Komponist Iacopo Peri in der Rolle des antiken Sängers Arion 1589 in einem musikalischen Intermedium in der Komödie *La Pellegrina* von Girolamo Bargagli. Zu seiner Zeit war es nicht unüblich, dass der Komponist eines Bühnenwerkes auch selbst eine Rolle übernahm.

Claudio Monteverdis frühes Meisterwerk

Unter den Komponisten der frühen Oper sticht Claudio Monteverdi hervor, der am Hof von Mantua wirkte, also recht weit von Florenz und den dogmatischen Vorgaben der dortigen Camerata entfernt. Seine Version des Orpheus-Mythos, die »in Musik gesetzte Fabel« *(favola in musica) Orfeo*, wurde am 24. Februar 1607 anlässlich des Karnevals am Hof in Mantua erstmals aufgeführt. Der Herzog – und vermutlich auch Monteverdi – hatte Peris *Euridice* in Florenz gehört und wünschte auch für seinen Hof ein solches Stück. Das Libretto verfasste sein Sekretär Alessandro Striggio. Monteverdi befolgte zwar das Postulat der unbedingten Textverständlichkeit, schmückte den

Gesang aber auf vielerlei Weise aus. Sein Werk umfasst fünf Akte und hat eine Aufführungszeit von etwa zwei Stunden; das ging deutlich über Peris und Caccinis Orpheus-Vertonungen hinaus. Zu Beginn ertönt nicht ein beliebiges Musikstück, sondern es erklingen eine Fanfare und eine einleitende Toccata. Im anschließenden Prolog huldigt die personifizierte »Musica« dem Herzog, um dann Orpheus' musikalische Talente zu rühmen und in die eigentliche Handlung überzuleiten. Bei der Wahl der Instrumente ging Monteverdi weit über die sogenannte Continuo-Gruppe – meist Cembalo, Laute, Theorbe, Cello und Kontrabass – hinaus und nutzte die verschiedenen Klangfarben zur Charakterisierung von Personen und Situationen: Posaunen stehen für die Unterwelt, Charon, den Fährmann ins Totenreich, begleitet das düster-näselnde Regal, Orfeo ist eine Holzorgel zugeordnet. Darüber hinaus nahm sich der Komponist Freiheiten bei der Dissonanz- und Tonartenbehandlung und steigerte so den *stile recitativo* zum *stile espressivo*, zum ausdrucksvollen Gesang.

Das Werk kam bei den Auftraggebern so gut an, dass es 1607 ein weiteres Mal aufgeführt und 1609 als Druck veröffentlicht wurde. Dabei galt die Oper wie andere Werke der folgenden Jahrzehnte nicht als abgeschlossen, sondern wurde an die jeweils zur Verfügung stehenden Sänger und deren Fähigkeiten angepasst. So existieren von der Arie »Possente spirto«, mit der Orpheus den Fährmann überzeugt, ihn in die Unterwelt einzulassen, zwei Fassungen: eine schlichte und eine reich mit Koloraturen ausgezierte.

Das Titelblatt der 1607 uraufgeführten Oper *Orfeo* von Claudio Monteverdi ist mit einer Widmung an Francesco Gonzaga, seinen Förderer, versehen.

1608 wurde in Mantua anlässlich der Hochzeit des Thronerben Francesco IV. Gonzaga ein ganzes Opernfestival veranstaltet, für das der Herzog einen Theaterbau für über 1000 Zuschauer errichten ließ. Die Musik der einzelnen Werke stammt meist von mehreren Komponisten, unter anderem von Monteverdi, Peri und Marco da Gagliano, der später in Florenz als Kapellmeister am Hof der Medici diente. Von seinen 14 Opern sind nur zwei erhalten, *La Dafne* (1608) nach dem schon von Peri vertonten Libretto von Ottavio Rinuccini und *La Flora* (1628). Die neue Gattung diente damit vor allem Repräsentationszwecken und wurde ausschließlich in Kreisen des Adels und der hohen Geistlichkeit aufgeführt. Die Werke entstanden zu besonderen Anlässen, die Darbietung war oft ein singuläres Ereignis.

Der Orpheus-Mythos

Der Orpheus der griechischen Mythologie verkörpert den Sänger schlechthin. Mit seinem Gesang, den er auf seiner Lyra begleitet, betört er nicht nur Mensch und Tier, sondern sogar Steine. Als seine Frau Eurydike durch einen Schlangenbiss stirbt, gewinnt Orpheus mit seiner Musik dem Gott Hades die Erlaubnis ab, sie aus der Unterwelt zurückholen zu dürfen – unter einer Bedingung: Er muss darauf vertrauen, dass sie ihm folge, ohne sich nach ihr umzusehen. Weil Eurydike noch ein Geist ist, kann Orpheus ihre Schritte hinter sich nicht hören. Er blickt sich um, worauf sie für immer entschwindet. – Dieser Stoff übte auf die Librettisten und Komponisten der frühen Oper einen besonderen Reiz aus. Nicht nur stellte er die Macht des Gesangs in den Mittelpunkt, er ließ sich auch gut in die zu dieser Zeit besonders geschätzte ländliche Hirtenidylle einbetten. Oft wurde das Geschehen dabei zu einem guten Ende geführt: Eurydike gelangt wieder in die Oberwelt wie in den Vertonungen von Peri und Caccini, oder Orpheus steigt – bei Monteverdi – mit Apoll ins Reich der Götter auf. Der ansonsten vor allem für seine geistlichen Werke bekannte deutsche Komponist Heinrich Schütz vertonte den Orpheus-Mythos als Ballett-Oper, die 1638 in Dresden zur Hochzeit des Thronfolgers Johann Georg aufgeführt wurde, allerdings nicht erhalten ist. Auch in späteren Jahrhunderten griffen Opernkomponisten gern auf den Mythos zurück, so Christoph Willibald Gluck (1762), Jacques Offenbach (1858) oder Hans Werner Henze (1979).

Wichtige Neuerungen durch die Römische Schule

In Rom, dem Zentrum des damaligen Kirchenstaats, hatte sich Mitte des 16. Jahrhunderts die Römische Schule gebildet, ein Kreis von Komponisten, die die auf dem Konzil von Trient formulierten kirchenmusikalischen Forderungen, insbesondere Textverständlichkeit, Würde im Ausdruck und den Verzicht auf die Unterlegung bestehender weltlicher Kompositionen mit dem Messetext (sogenannte Parodiemessen), umsetzten. Auch hier griff man das Konzept der Oper auf, richtete es jedoch stärker auf moralisch-religiöse Stoffe aus. Die früheste vollständig erhaltene Oper aus der Römischen Schule ist Emilio de' Cavalieris *Rappresentatione di Anima, et di Corpo (Das Spiel von Seele und Leib)*, uraufgeführt zum Heiligen Jahr 1600, das im Zeichen der Gegenreformation besonders festlich begangen wurde. Schon in diesem Werk zeigten sich Unterschiede gegenüber der rezitativisch geprägten Florentiner Oper, die sich in den folgenden Jahren noch stärker ausprägten, insbesondere die gewichtigere Rolle des Chores. Chöre wurden nicht nur am Aktschluss, sondern auch innerhalb der Akte eingesetzt, und man griff stärker auf die polyphone Satzweise der Renaissance-Madrigale zurück. Insgesamt gestalteten die Komponisten der Römischen Schule ihre Opern abwechslungsreicher, etwa durch mehrstimmige Ensemblesätze und eine größere Vielfalt bei der Ausformung der Rezitative. Domenico Mazzocchi (1592–1665) beklagte im Vorwort zu seiner Oper *La catena d'Adone* (*Die Kette des Adonis*, 1626) ausdrücklich die Langeweile des Secco-Rezitativs, des »trockenen«, nur vom Generalbass begleiteten Rezitativs.

Die Vorgaben, die auf dem Konzil von Trient (1545-1563) beschlossen wurden, prägten die Musiker der Römischen Schule.

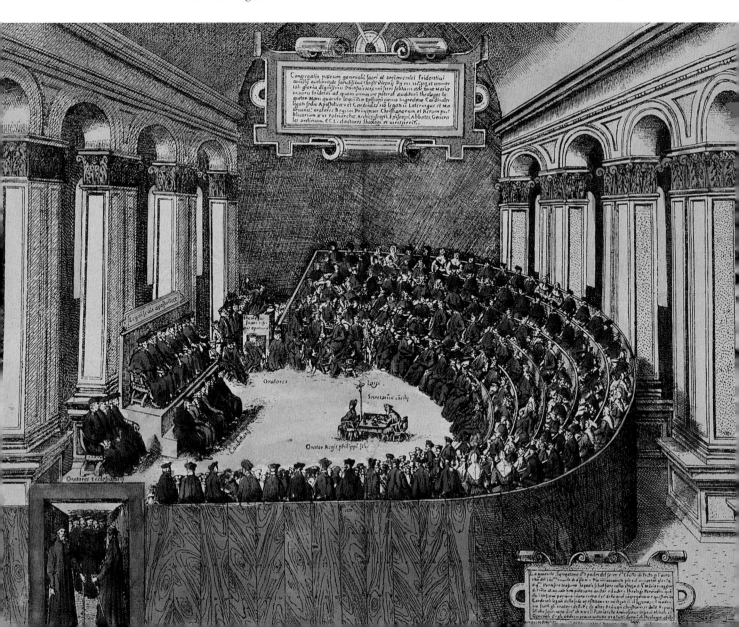

Monodie und Generalbass

INFO

Monodie wurde in der griechischen Antike ein Sololied genannt, bei dem sich der Sänger selbst auf einem Zupfinstrument begleitet, zum Beispiel als Totenklage in einer Tragödie. In ihrem Bestreben, die Kultur der Antike neu zu beleben, machte sich die Florentiner Camerata für eine Rückkehr zur Monodie stark. Erst die einstimmige Melodieführung, die dem Sprachrhythmus folgt, mache den gesungenen Text verständlich. Als Begleitung und harmonische Stütze des Sologesangs diente eine durchgehende Basslinie – Basso continuo, auf Deutsch Generalbass genannt –, die durch Akkorde ergänzt wurde. Aufgezeichnet wurde die Begleitung in einer verkürzten Notenschrift. Durch Ziffern wurden die Intervalle angegeben, die über dem Basston zu spielen waren, um die Solostimme harmonisch korrekt zu unterstützen. Dieser bezifferte Bass ließ den Ausführenden gewisse Freiheiten in der Gestaltung der Begleitung. Die Verwendung des Generalbasses wurde im 17. Jahrhundert und in der ersten Hälfte des 18. Jahrhunderts so wesentlich, dass diese Epoche auch das Generalbasszeitalter genannt wird.

Auch in anderer Hinsicht erwies sich die Römische Schule als prägend für die weitere Entwicklung der Oper in der Barockzeit. Da die katholische Kirche den Auftritt von Frauen auf der Bühne untersagte, übernahmen Kastraten die Frauen- und bald auch Männerrollen. So wurde es üblich, die führende Männerfigur von einem männlichen Sopran, die zugehörige Frauenfigur von einem männlichen Alt singen zu lassen. Die römische Oper entwickelte sich zudem zu einem Ausstattungsstück, dessen Handlung möglichst viele Szenen- und Schauplatzwechsel und damit immer neue Prachtentfaltung erlaubte. Um besondere Effekte zu erzielen, wurde eine Bühnenmaschinerie entwickelt, die es beispielsweise erlaubte, Gegenstände oder sogar Personen schweben oder eine Grotte einstürzen zu lassen.

Bald fanden auch komische Szenen Eingang in die Oper, so in der *tragicommedia pastorale La morte d'Orfeo* (*Der Tod des Orpheus*, 1619) von Stefano Landi (1586/87– 1639), und 1637 gelangte die *commedia musicale Chi soffre, speri* (*Wer leidet, hoffe*) auf die Bühne, die als erste komische Oper gilt. Tatsächlich behandelt das Libretto von Giulio Rospigliosi (dem späteren Papst Clemens IX.) allegorisch das Verhältnis von Müßiggang und Tugendhaftigkeit; in einem Intermezzo treten Figuren aus der Commedia dell'Arte auf, die Dialekt sprechen und in natürlichen Stimmlagen singen. Rospigliosi verfasste noch ein weiteres Libretto für eine komische Oper, *Dal male il bene* (*Aus dem Üblen entsteht das Gute*, UA 1653), doch konnte sich diese Gattung vorerst nicht etablieren.

Oper für alle

1637 entstand in Venedig mit dem Teatro San Cassiano das erste öffentliche Opernhaus. Zur Eröffnung erklang *L'Andromeda* von Francesco Manelli, neben Benedetto Ferrari Inhaber des Unternehmens. Die neue Unterhaltung fand reichlich Zuspruch. Immer neue Opernhäuser wurden eröffnet, es entspann sich ein erbitterter Konkurrenzkampf, in dem sich die einzelnen Häuser durch besonders spektakuläre Aufführungen, aber auch mit Sonderangeboten zu übertrumpfen suchten. Außerdem beschränkte man sich nicht auf Opernvorstellungen, die Zuschauer konnten während der Aufführungen dinieren, und in einigen Opernhäusern wurden sogar Spieltische aufgestellt.

Die Tatsache, dass nun erstmals ein bunt zusammengewürfeltes Publikum zufriedengestellt werden musste, um wirtschaftlichen Erfolg zu garantieren, veränderte das Gesicht der Gattung entscheidend. Zuvor war eine Opernaufführung ein Ereignis der Adelsgesellschaft gewesen, das an die Vorgaben des veranstaltenden Hofes angepasst war und keine ökonomischen Rücksichten zu nehmen brauchte. Sie diente nicht zuletzt dazu, durch Prachtentfaltung Macht und Ansehen des jeweiligen Aristokraten zu unterstreichen. Ein solcher Pomp war kaum zu finanzieren, wenn man auf ein

Die Oper *Il Sant' Alessio* von Stefano Landi (1631), für die der spätere Papst Clemens IX. das Libretto verfasst hat, in einer Aufführung des Theaters in Caen, 2007

zahlendes Publikum angewiesen war. Zwar investierte man auch in Venedig in eine prächtige Ausstattung, jedoch wurden Bühnenbilder und Kostüme so standardisiert, dass sie mehrfach eingesetzt werden konnten und nur durch Details an das jeweilige Stück angepasst wurden. Der Zwang zur Sparsamkeit führte zur Abkehr von Massenszenen, auf Chor und Ballett wurde weitgehend verzichtet, das Orchester blieb relativ klein. Neben das Rezitativ traten verstärkt Lieder und Arien, die häufig nur in lockerer Beziehung zur Handlung standen, dafür aber die Sänger in den Mittelpunkt rückten. Ihr Können und ihre Popularität entschieden oft über den Erfolg einer Produktion. Präsentieren konnten sie sich am besten in der Form der Soloarie, die bald zur zentralen musikalischen Form der venezianischen Oper wurde. Sie zeichnete sich durch eingängige Melodien aus und lehnte sich oft an gängige Tanzrhythmen an.

Die vom Adel bevorzugten Schäferidyllen kamen bei dem breiteren Publikum nicht an. Stattdessen waren spannendere, handlungsreiche Stoffe gefragt, die weiterhin überwiegend der antiken Mythologie entnommen wurden. In die Haupthandlung wurden oft komische oder überzeichnete Figuren integriert.

Wiederum war es Monteverdi, der die Grenzen der jungen Gattung überschritt und sie damit an neue Anforderungen anpasste. Mit *L'incoronazione di Poppea* (*Die Krönung der Poppea*, UA 1642) nach dem Libretto von Giovanni Francesco Busenello brachte er erstmals einen historischen statt eines mythischen Stoffs auf die Opernbühne, und er suchte sich historische Gestalten aus, die alles andere als vorbildhaft sind. Die intrigenreiche Handlung, in deren Mittelpunkt der römische Kaiser Nero und seine Geliebte Poppea stehen, erzählt von Erotik, Macht, Moral – und deren Missbrauch. Um Poppea zur Kaiserin krönen zu können, verstößt Nero kurzerhand seine Frau Ottavia:

»Ich beschließe nun
mit feierlichem Edikt
die Verstoßung Ottavias
ins ewige Exil
und verbanne sie aus Rom.
Schickt Ottavia zur nächstgelegenen Küste
und bereitet ein Holzboot vor.
Überlasst sie dann den Launen des Windes.
So mache ich meinem gerechten Zorn Luft.
Eilt, gehorcht mir sofort!«

===

Am Ende triumphieren »die Bösen«, Nero und Poppea; die Oper schließt mit einem berückenden Liebesduett (»Pur ti miro«). Dieser Abschluss machte Schule und kam in der Folgezeit in der kommerziellen Oper allgemein in Mode.

In Venedig bürgerte sich bald das Stagione-System ein: Opern waren nur zu bestimmten Spielzeiten zu sehen, nämlich im Karneval, von Ostern bis zur Sommerpause und im Herbst bis zum Advent. Die Opern wurden so lange gespielt, wie sie rentabel waren, kaum eine überdauerte aber eine Spielzeit. Der Bedarf an neuen Stücken war gewaltig: In Venedig gelangten im 17. Jahrhundert etwa 400 Opern zur Uraufführung, oft entstanden sie in Gemeinschaftsarbeit mehrerer Komponisten. Zu den bedeutendsten Vertretern der venezianischen Oper zählen der Monteverdi-Schüler Francesco Cavalli (1602–1676), der 42 Opern schrieb, Antonio Cesti (1623–1669), der später an die Wiener Hofoper wechselte, und Giovanni Legrenzi (1626–1690), der zwischen 1662 und 1685 immerhin 19 Bühnenwerke komponierte.

Claudio Monteverdi

(1567–1643)

INFO

Als Sohn eines Arztes im norditalienischen Cremona geboren, erhielt Claudio Monteverdi eine fundierte musikalische Ausbildung. Mit 15 Jahren veröffentlichte er erste eigene Kompositionen. 1590 erhielt er eine Anstellung als Gambist am Hof in Mantua, wo er ab 1594 auch als Sänger auftrat. 1602 wurde er dort zum Hofkapellmeister ernannt, fünf Jahre später wurde zum Geburtstag des Regenten Monteverdis Favola in Musica *L'Orfeo*, das bedeutendste Werk der frühen Operngeschichte, im herzoglichen Palast uraufgeführt. Anlässlich der Hochzeit des Thronerben folgte 1608 *L'Arianna* nach der griechischen Sage um Ariadne und Theseus, von der nur das berühmte *Lamento* erhalten ist. Zunehmende Spannungen mit dem Hof veranlassten Monteverdi zum Wechsel nach Venedig, wo er 1613 die herausragende Stellung des Kapellmeisters an San Marco, dem Markusdom, übernahm. Diese behielt er bis zu seinem Tod. Auch wenn er sich 1632, beeinflusst von einer Pestepidemie, zum Priester weihen ließ, komponierte er weiterhin weltliche Stücke, darunter Bühnenwerke für das Teatro San Cassiano. Nur zwei Opern Monteverdis aus seiner venezianischen Zeit sind erhalten, *Il ritorno d'Ulisse in patria* (Die Heimkehr des Odysseus, 1640) und *L'incoronazione di Poppea* (Die Krönung der Poppea, 1642).

DIE BAROCKOPER

Die Oper am französischen Königshof

Auch in Frankreich strebte man Ende des 16. Jahrhunderts eine Neubelebung des antiken Dramas an. In der Académie de Poésie et de Musique fand sich ein Kreis von Dichtern und Musikern zusammen, die ähnliche Ziele verfolgten wie die Mitglieder der Florentiner Camerata und sich wie diese auf dem Boden der aristokratischen Gesellschaftsordnung bewegten. In Frankreich rückte jedoch der Tanz in den Vordergrund. Ende des 16. Jahrhunderts erblühte die Gattung des Ballet de Cour (Hofballett), das in einer einheitlichen dramatischen Handlung Tanzchoreografien, Dichtung, Vokal- und Instrumentalmusik vereinte. Meist wurde ein mythologischer Stoff verwendet und in einer Anzahl sogenannter Entrées umgesetzt und kommentiert. Den Abschluss bildete ein Grand Ballet. Neben Berufsmusikern und -tänzern wirkten bei den Aufführungen Mitglieder des Hofadels mit, darunter auch der König selbst.

Auf Initiative des aus Neapel stammenden Kardinals Jules Mazarin, der nach dem Tod von König Ludwig XIII. faktisch die Regentschaft für den minderjährigen Ludwig XIV. übernahm, gelangten in Paris italienische Opern auf die Bühne. Vielfach wurden sie an den französischen Geschmack angepasst, insbesondere durch das Einfügen von Ballettszenen und eine aufwendige Theatermaschinerie. So wurde der italienische Erfolgskomponist Francesco Cavalli 1660 nach Paris eingeladen, um anlässlich Ludwigs Vermählung mit Maria Teresa von Spanien eine Oper mit dem Titel *Ercole amante (Der verliebte Herkules)* zu schreiben. Zugleich erhielt der französische Hofkomponist Jean-Baptiste Lully (ein gebürtiger Italiener) den Auftrag,

König Ludwig XIV. als »Aufgehende Sonne« im Theâtre Petit Bourbon, 1654

INFO

Jean-Baptiste Lully
(1632–1687)

Der Begründer der französischen Nationaloper stammte aus Florenz. In ärmlichen Verhältnissen aufgewachsen, aber musikalisch vorgebildet und komödiantisch begabt, erhielt Jean-Baptiste Lully als 14-Jähriger eine Anstellung als Sprachlehrer und Kammerdiener einer französischen Herzogin in Paris. Hier gelang es ihm, durch seine Qualitäten als Tänzer und Geiger die Aufmerksamkeit des jugendlichen Königs zu erringen – dieser war sechs Jahre jünger als Lully. 1653 trat er zusammen mit Ludwig XIV. als Tänzer im von ihm komponierten *Ballet de la Nuit* auf und wurde noch im selben Jahr zum Compositeur de la musique instrumentale ernannt. In dieser Stellung schuf er nach dem Vorbild des königlichen Streichorchesters *24 Violons du Roi*, ein kleineres, »La petite bande« genanntes Ensemble von 16 Instrumentalisten, das unter seiner Leitung eine bis dahin unbekannte spieltechnische Perfektion erreichte, etwa durch die einheitliche Bogenführung. 1661 zum Surintendant de la musique du Roi aufgestiegen und in Frankreich eingebürgert, arbeitete Lully fortan darauf hin, der italienischen Oper ein spezifisch französisches Konzept entgegenzusetzen. 1672 gelang es ihm, ein königliches Opernprivileg zu erwerben, das ihn faktisch zum Alleinherrscher über die Gestaltung und Aufführung dieser Gattung in Paris machte. Angefangen mit *Cadmus et Hermione* komponierte Lully ab 1673 alljährlich eine Tragédie lyrique, die als eigentliche französische Nationaloper gilt, darunter *Alceste* (1674), *Atys* (1676) sowie *Acis et Galatée* (1686). Lully verstarb 1687 an den Folgen einer Fußverletzung, die er sich mit seinem Taktstab selbst beigebracht hatte. Einen Eindruck von seinem Wirken am Hof des Sonnenkönigs vermittelt der Spielfilm *Der König tanzt* (2000, Regie: Gérard Corbiau).

das Werk durch Ballettszenen zu ergänzen. Die Konkurrenzsituation verzögerte die Arbeit so sehr, dass die Oper nicht rechtzeitig fertig wurde. Stattdessen erklang zur Hochzeit Cavallis Oper *Xerxes* in einer bearbeiteten Form. Die Chöre wurden durch Ballette aus Lullys Feder ersetzt, und der Hofkomponist stellte dem Werk eine französische Ouvertüre voran, wie er sie seit etwa 1650 für seine Ballette verwendete. Im Unterschied zur dreisätzigen italienischen Ouvertüre begann sie mit einem langsamen Satz, meist mit punktiertem Rhythmus, an den sich ein schneller, oft fugierter Teil anschloss. Zum Abschluss wurde meist das melodische Material des ersten Teils wieder aufgegriffen. Diese Form der Ouvertüre fand in ganz Europa Verbreitung, Georg Friedrich Händel benutzte sie beispielsweise für sein Oratorium *Messias*. Cavallis Herkules-Oper gelangte erst 1662 zur Uraufführung; sie hatte nun den französischen Titel *L'Ercole* und enthielt mindestens 21 Tanzeinlagen, in denen Ludwig XIV. unter anderem als Apollo, Mars und Sonne auftrat. Auf Kritik stießen der italienische Text und die Besetzung mit einem Kastraten.

Einen weiteren Schritt in Richtung einer eigenständigen französischen Oper vollzogen Lully und Pierre Beauchamp mit ihrer Musik zu Molières *Les Fâcheux* (*Die Lästigen*, 1661), das als erstes Comédie-Ballet gilt. In dieser Gattung wurde eine gesprochene Komödie mit Musik und Tanz sowie aufwendigen Kostümen und Bühnenbildern ausgeschmückt. In der Zusammenarbeit von Molière, Lully und Beauchamp entstanden später unter anderem die Comédie-Ballets *Monsieur de Pourceaugnac* (*Ein Herr aus der Provinz*, 1669) und *Le Bourgeois gentilhomme* (*Der Bürger als Edelmann*, 1670), zu Molières Komödie *Le malade imaginaire* (*Der eingebildete Kranke*, 1673) schuf Marc-Antoine Charpentier die Musik.

Ludwig XIV. hatte 1669 zunächst dem Schriftsteller Pierre Perrin das Privileg zur Gründung einer Akademie erteilt, die die Förderung einer spezifisch französischen Oper zum Ziel hatte. Nach Perrins Scheitern sicherte sich Lully 1672 dieses Privileg und damit das Monopol zur Aufführung von Opern. In Zusammenarbeit mit dem Librettisten Philippe Quinault entstand 1673 *Cadmus et Hermione*, die erste Tragédie lyrique, wie dieser Prototyp der französischen Oper genannt wurde. Vom klassischen französischen Drama übernahm sie den Aufbau in fünf Akten und das Versmaß, verzichtete aber auf die Einheit von Ort und Zeit zugunsten vielfältiger Wechsel in Ausstattung und Bühnenbild. Außerdem durchbrach sie das Verbot des Wunderbaren in der Tragödie, das der Dramatiker Pierre Corneille für das Sprechtheater durchgesetzt hatte. Der Auftritt von allerlei Göttern und Fabelwesen gehörte ebenso zur Tragédie lyrique wie der Einsatz von Effekten und das Erscheinen eines Deus ex Machina. Die Rezitative folgten genau dem Text, die Arien, französisch *air*, hatten meist eine syllabische Melodik, waren deutlich liedhafter als ihre italienischen Entsprechungen und verzichteten auf deren Koloraturen und Verzierungskunst. Johann Mattheson beschrieb in seiner Schrift *Grundlage einer Ehrenpforte* Lullys Behandlung der Gesangstimmen so:

»Er war ein großer Feind von Verdoppelungen, Variierung (wie wir es nennen) oder Brechungen der Noten in den Arien und Melodien, von Künsteleien und überhäuften Figuren oder Manieren, Laufen und Drehen der Stimme, darin die heutigen unartigen Italiener ich weiß nicht was für hässliche Schönheiten suchen. In seiner Opera ›Armide‹ sind nur zwei solcher Silben-Dehnungen oder Schnörkel, in Acis und Galathea nicht eine einzige und nimmer eine so genannte Variation.«

Hinzu kamen – oft dreistimmige – Chöre, Instrumentalstücke und natürlich Tänze. Im Prolog wurde stets ein Loblied auf den Herrscher angestimmt. Das Libretto wurde mit großer Sorgfalt in Absprache mit dem Hof und der Sprachakademie erstellt und zahlreichen Revisionen unterworfen. Der Stoff war meist der Mythologie entnommen und wurde so bearbeitet, dass er als Allegorie auf den König verstanden werden konnte. Bis 1686 schrieb Lully insgesamt 14 Opern, die meisten nach einem Libretto von Quinault, darunter *Alceste* (1674) nach der antiken Tragödie *Alkestis* (438 v. Chr.) von Euripides, die von Anhängern der gesprochenen Tragödie scharf kritisiert wurde und eine grundsätzliche Kontroverse über die Entwicklung der Oper auslöste, *Atys* (1676), *Phaéton* (1683) sowie *Acis et Galatée* (1686; Libretto von Jean Galbert de Campistron). Dieses auf Sizilien in mythischer Zeit angesiedelte Schäferspiel war die letzte Oper, die Lully vollenden konnte. Mit der Gattungsbezeichnung Pastorale héroïque und einer Mischung von tragischen und komischen Szenen deutet sie die Hinwendung des Komponisten von der Tragödie zu »leichteren« Stoffen an.

Die Oper *Armide* von Jean-Baptiste Lully, dargestellt von dem französischen Maler und Zeichner Gabriel de Saint-Aubin.

Rameaus Oper *Dardanus* liegt der Mythos des Dardanos zugrunde, der eine große Flut überlebt hat. Das opulente Bühnenbild entsprach ganz dem Geschmack der Zeit.

Auch nach Lullys Tod blieben seine Werke und sein Stil lange Zeit prägend für die französische Oper. Eine neue Epoche brach erst mit Jean Philippe Rameau (1683–1764) an, der ab 1733 die französische Hofoper von der ideologischen Bindung an den Absolutismus zu befreien suchte. Rameau, Sohn eines Organisten, hatte sich 1702 für kurze Zeit in Mailand aufgehalten, um die italienische Kompositionsweise zu studieren. Später war er als Organist unter anderem an der Kathedrale von Avignon tätig und ließ sich 1722 in Paris nieder, wo er mehrere musiktheoretische Schriften veröffentlichte. Mit 50 Jahren brachte er schließlich seine erste Oper, *Hippolyte et Aricie*, auf die Bühne, die in ihrer dramatischen Struktur den Vorgaben Lullys verpflichtet blieb, musikalisch aber modernere Wege beschritt. Insbesondere meisterte Rameau durch seine virtuose Instrumentierung eindrucksvolle Naturschilderungen und eine prägnante Charakterisierung seiner Figuren.

Eingefleischte Lullyisten beklagten dagegen einen Verlust an Natürlichkeit und Einfachheit. Nach dem Erfolg seines Erstlings brachte Rameau bis 1757 in rascher Folge mehr als 20 Opern verschiedener Genres heraus, darunter die Tragédies lyriques *Castor et Pollux* (1737) und *Dardanus* (1739), das Opéra-Ballet *Les Indes galantes* (1735) sowie die Comédie lyrique *Platée* (1745), eines der ungewöhnlichsten Musiktheaterwerke des 18. Jahrhunderts. Darin geht es um eine hässliche Nymphe, die sich in der Gunst des Göttervaters Jupiter wähnt. Dieser macht sich einen Spaß daraus, ihr seine Liebe vorzuspielen und ihr die Heirat zu versprechen. Am Ende bleibt Platée, die von einem Tenor gesungen wird, gedemütigt und verletzt zurück. Rameau nutzte das Sujet, um den oft hochtrabenden Ton der französischen Oper mit lautmalerischen Effekten, raffinierten Tanzrhythmen und kühnen Intervallsprüngen zu parodieren.

INFO

Kastraten

In Italien und Spanien wurden schon seit der ausgehenden Antike Jungen vor der Pubertät kastriert, um ihre hohe Stimmlage zu erhalten. Die Kastraten behielten ihre Knabenstimme (Sopran oder Alt), während Brustkorb und Lunge mit dem Körperwachstum Kraft und Volumen der Männerstimme erreichten. Da ihnen aufgrund des Testosteronmangels der Bartwuchs fehlte, hatten die jungen Männer oft »engelhafte« Gesichtszüge, was die Begeisterung des Publikums noch steigerte. Gefördert wurde das Kastratentum durch das kirchliche Auftrittsverbot für Frauen. Zwar untersagte die katholische Kirche auch die Kastration, gleichwohl beschäftigte aber sogar die päpstliche Kapelle im 16. und 17. Jahrhundert Kastraten. Ab Mitte des 17. Jahrhunderts wurden die »verschnittenen« Männer zu den eigentlichen Stars der Opernbühne. Die Komponisten reagierten auf die Vorlieben des Publikums, indem sie die männlichen Hauptrollen für Sopran- oder Mezzosopranstimmen schrieben, so etwa Georg Friedrich Händel in seiner Oper *Giulio Cesare* (1724). Zu den Stars der Kastratenszene zählte Farinelli (eigentlich Carlo Broschi, 1705–1782), dessen Lebensgeschichte der belgische Regisseur Gérard Corbiau 1994 verfilmte. Erst mit Beginn des 19. Jahrhunderts schwand das Kastratenwesen, das neben Stars vor allem viel Leid hervorbrachte: Das Verfahren war nicht ungefährlich, da die Entfernung der Keimdrüsen nicht unter sterilen Bedingungen stattfand. Es wird vermutet, dass viele der so behandelten Kinder an Infektionen starben.

Die italienische Oper erobert Mitteleuropa

Ab Mitte des 17. Jahrhunderts verlagerte sich das Zentrum der italienischen Oper mehr und mehr nach Neapel. Die Stadt verfügte – wie Venedig – über ein reiches Reservoir an musikalischem Nachwuchs. Sie besaß vier Waisenhäuser, in denen Jungen als Musiker, insbesondere zu Sängern, ausgebildet wurden. Die Bezeichnung dieser Häuser, Konservatorium (abgeleitet vom lateinischen *conservare* = bewahren), wird bis heute für musikalische Ausbildungsstätten verwendet. Die venezianischen Ospedali kümmerten sich dagegen um den weiblichen Nachwuchs für Chöre und Orchester. Anfangs waren in Neapel vor allem Werke zu sehen, die von Venezianern komponiert und aufgeführt wurden. Doch bald entwickelte sich eine eigene musikalische Tradition, die für die nächsten 100 Jahre die Geschichte der Oper maßgeblich bestimmte. Als Begründer der sogenannten Neapolitanischen Schule gilt der Komponist Francesco Provenzale (1624–1704), von dessen – vermutlich – zehn Opern zwei erhalten sind. Er setzte verstärkt auf das Element des Komischen und bediente sich gern bei den Melodien und Wendungen des Volksliedes. Zum führenden Komponisten der Neapolitanischen Schule wurde jedoch Alessandro Scarlatti (1660–1725), der entscheidende Beiträge dazu leistete, der Oper eine festgefügte Struktur zu geben. Er führte unter anderem die sogenannte italienische Ouvertüre ein, eine dreiteilige Sinfonia mit schnellen Ecksätzen und einem langsamen Mittelteil (aus der sich später die klassische Sinfonie entwickelte). Der langsame Teil war oft nur kurz, der dritte Teil griff normalerweise einen gerade populären Tanzstil auf.

Nach den erfolgreichen Anfängen in Italien fand die neue Gattung in den folgenden Jahrzehnten auch im deutschsprachigen Raum Verbreitung, wegen der Verheerungen durch den Dreißigjährigen Krieg und der schlechten Wirtschaftslage allerdings verzögert und im Allgemeinen weniger aufwendig gestaltet. Schon 1656 ließ der bayerische Kurfürst Ferdinand Maria in München ein Kurfürstliches Opernhaus errichten, das später auch der allgemeinen Öffentlichkeit zugänglich wurde. Das Opernhaus am Taschenberg in Dresden, errichtet 1664 bis 1667, fasste mehr als 2000 Zuschauer und war damit eines des größten europäischen Theater jener Zeit. Auch an den Höfen in Braunschweig, Hannover, Weißenfels und Durlach widmete man sich der Oper italienischer Prägung. Wien erlebte 1668 das wohl größte Opernspektakel des 17. Jahrhunderts. Dort wurde in einem eigens errichteten dreistöckigen Theaterbau

Bühnenbild »Das Feuer« von Lodovico Ottavio Burnacini für die Oper *Il pomo d'oro* von Antonio Cesti, 1668 uraufgeführt.

aus Holz, zu dem nur geladene Gäste Zutritt hatten, *Il pomo d'oro (Der goldene Apfel)* des Italieners Pietro Antonio Cesti gezeigt, eine Huldigung an Kaiserin Margarete Theresia im Auftrag ihres kunstsinnigen Gatten Leopold I. Das Werk umfasste fünf Akte mit insgesamt 67 Szenen und 23 Verwandlungen. An der Aufführung, die wegen ihrer Länge zwei Nachmittage beanspruchte, wirkten über 1000 Personen, darunter 50 Solosänger, mit.

Metastasios Opernreform

Der italienische Dichter und Librettist Pietro Metastasio gab der Opera seria ihre im 18. Jahrhundert gültige Form.

Auch wenn Cestis Prunkoper ein Extrembeispiel darstellt (und nie wieder gezeigt wurde), verdeutlicht das Spektakel doch die Tendenz der italienischen Oper im späten 17. Jahrhundert zu immer größerer Prachtentfaltung und Effekthascherei. Dies führte so weit, dass schließlich der Handlungszusammenhalt immer mehr vernachlässigt wurde und die Werke zunehmend aus einer mehr oder weniger zufälligen Szenenfolge zusammengesetzt waren. Dieser Entwicklung traten Anfang des 18. Jahrhunderts zunächst der Librettist Apostolo Zeno, später dann Pietro Metastasio (1698–1782) entgegen, dessen Opernreform das Konzept der metastasianischen Opera seria, den hohen Stil, hervorbrachte. Metastasio wirkte zunächst in Neapel und Rom, ab 1729 hatte er die Position eines Hofpoeten am Kaiserhof in Wien inne. Er verfasste 27 Opernlibretti, die immer wieder vertont und teils auch als Sprechdramen herausgebracht wurden. Allein seine *Didone abbandonata*, die 1724 in Neapel mit der Musik von Domenico Sarro erstmals erklang, diente etwa 70 Mal als Grundlage für eine Opernkomposition. *Artaserse*, 1730 in Rom in der musikalischen Fassung von Leonardo Vinci erstmals zu sehen, wurde bis zum Ende des Jahrhunderts rund 90 Mal vertont, unter anderem von Johann Adolph Hasse, Johann Christian Bach, Christoph Willibald Gluck und Domenico Cimarosa. Metastasios Dramen behandeln ausschließlich historische oder mythologische Stoffe; sie sind dreiaktig mit jeweils zehn bis 15 Szenen je Akt. In der Regel gibt es sechs handelnde Personen; im Mittelpunkt des Geschehens steht ein Konflikt, bei dem es oft um die Wahl zwischen Pflichterfüllung und Liebe geht und mit dem die Beteiligten, als typische Vertreter eines aufgeklärten Absolutismus, überlegt umgehen. Der englische Musikhistoriker Charles Burney berichtete im Tagebuch seiner musikalischen Reisen 1773:

»Ehe ich die Ehre hatte, bey Signor Metastasio eingeführt zu werden, erhielt ich von völlig zuverlässiger Hand die folgende Nachricht von diesem grossen Dichter, dessen Schriften vielleicht mehr zur Verfeinerung der Vokalmusik, und also der Musik überhaupt, beygetragen haben, als die vereinten Kräfte aller grossen Komponisten in Europa zusammen genommen. [...] In der That scheint sich in seinem Leben eben die sanfte Heiterkeit zu befinden, welche durch seine Schriften herrscht, worin er, selbst wenn er Leidenschaft mahlt, mehr mit gelaßner Vernunft, als mit Heftigkeit spricht.«

Mit der strukturellen Verschlankung und inhaltlichen Straffung durch die Opernreform gingen auch Veränderungen in der Aufführungspraxis einher. Göttergestalten und Fabelwesen wurden ebenso getilgt wie komische Figuren und Szenen. Die Vorliebe des 17. Jahrhunderts für eine aufwendige Bühnenmaschinerie und geheimnisvolle Orte wie Friedhöfe oder Höhlen, die oft auch ohne Zusammenhang mit der Handlung eingeführt wurden, erlosch. Unter dem Einfluss Metastasios verkehrte sich das Verhältnis zwischen Librettist und Komponist fast ins Gegenteil. Nicht mehr der Librettist war der gefügige Handlanger, sondern der Musiker folgte oft den Weisungen des Dichters.

Unterschiedliche Ansätze in Dresden und Hamburg

Zu den Zentren, in denen die Opera seria metastasianischer Prägung zu besonderer Blüte kam, zählte Dresden. Anfang des 18. Jahrhunderts hatte der sächsische Kurfürst August der Starke nach seinem Übertritt zum Katholizismus das dortige Opernhaus am Taschenberg zur Hofkapelle umgestalten lassen. 1719 erhielt Dresden mit dem Opernhaus am Zwinger eine neue Bühne für das Musiktheater. Eröffnet wurde das Haus anlässlich der Hochzeit des späteren Kurfürsten Friedrich August II., eines leidenschaftlichen Opernliebhabers. Besonders in der 30-jährigen Amtszeit des Hofkapellmeisters Johann Adolph Hasse (1699–1783), dessen Ära 1731 mit der Uraufführung seiner Oper *Cleofide* – nach einem Libretto von Metastasio – begann, wurde die Stadt zu einem Zentrum der italienischen Oper. Hasse schrieb etwa 45 Opern, von denen etliche in Venedig, Mailand oder Neapel uraufgeführt wurden, und er formte das Personal der Dresdner Oper zu einem Spitzenensemble, in dem seine Frau, die Sängerin Faustina Bordoni, eine führende Rolle spielte. Besonderen Wert legte man in Dresden auf eine üppige Ausstattung und Prachtentfaltung. So erschienen bei der Uraufführung von Hasses *Solimano* (1753) nicht nur Pferde, sondern auch Kamele, Dromedare und sogar Elefanten auf der Bühne. Während des Siebenjährigen Kriegs erlitt das Dresdner Opernhaus schwere Schäden, 1763 wurde die Oper aufgelöst, im Jahr darauf übersiedelte Hasse mit seiner Familie nach Wien.

In Hamburg folgte man dagegen mit der Eröffnung des ersten öffentlich-bürgerlichen Opernhauses auf deutschem Boden 1678 dem Beispiel Venedigs. Zur Premiere erklang im Opern-Theatrum am Gänsemarkt die geistliche Oper *Adam und Eva, oder der erschaffene, gefallene und wieder aufgerichtete Mensch* des Naumburger Komponisten Johann Theile. Das religiöse Sujet galt als Zugeständnis gegenüber einem Teil der Hamburger Pastorenschaft, der sich vehement gegen die Eröffnung der Oper gewandt hatte. Der Streit setzte sich fort: 1686 erließ die Bürgerschaft ein Aufführungsverbot, das zwei Jahre später wieder aufgehoben wurde. Im selben Jahr veröffentlichte der Diaconus der Katharinenkirche, Heinrich Elmenhorst, selbst Librettist, eine Verteidigungsschrift mit dem Titel *Dramatologia antiquo-hodierna*, in der er erläuterte, dass die in Hamburg gespielten Opern mit den von den Kirchenvätern verworfenen heidnischen Schauspielen nicht zu vergleichen seien, und folgende Definition abgab:

> »Was ist aber eine Opere, darvon allhie die Streitigkeit ist? Eine Opere ist ein Sing-Spiel / auf dem Schau-Platz vorgestellt / mit erbaren Zurüstungen / und anständigen Sitten / zu geziemender Ergötzlichkeit der Gemüther / Ausübung der Poesie / und Fortsetzung der Music.«

In Hamburg wurden französische wie italienische Opern gespielt, darüber hinaus suchten ortsansässige Komponisten, beide Typen miteinander zu vereinen. So entstanden Mischformen mit Koloraturarien in italienischer Manier sowie Ballettmusik und Chören im französischen Stil. Üblicherweise wurden die Rezitative auf Deutsch gesungen,

INFO

Opera seria

Von Neapel ausgehend wurde die Opera seria, die ernste Oper, bald nach 1650 für etwa 100 Jahre zum führenden Typus der Gattung in Italien, England und Mitteleuropa mit Ausnahme Frankreichs. Im Mittelpunkt der Handlung steht ein stark idealisierter Held, eine mythologische, aber auch eine historische Figur, die dazu angetan ist, moralische Werte vorbildhaft zu verkörpern. Typisch sind drei Gruppen von Personen, nämlich der Held (gewöhnlich von einem Kastraten dargestellt) und sein weibliches Pendant, die etwa die Hälfte der Arien und oft auch ein Liebesduett bestreiten, Freunde und Vertraute dieses Paares, denen jeweils etwa drei bis vier Arien zustehen, sowie Diener, Schurken oder falsche Freunde. Die Opera seria ist eine Nummernoper: In sich geschlossene musikalische Nummern stehen nebeneinander und müssen nicht notwendigerweise einen inhaltlichen Zusammenhang aufweisen. Dieses »Baukastensystem« erleichtert die Probenarbeit und schafft die Möglichkeit, die Oper an die jeweils am Aufführungsort gegebenen Bedingungen anzupassen, indem etwa einzelne Nummern umgestellt, weggelassen oder in eine andere Tonart transponiert werden. Das erzählende Rezitativ, bei dem es vor allem auf eine gute Verständlichkeit der Sprache ankommt, bringt die Handlung voran, die beteiligten Personen interagieren in diesem Teil. Die Arie stellt dagegen einen Halte- und Ruhepunkt dar: Das Geschehene wird reflektiert und kommentiert. Oft gibt die Arie tieferen Einblick in das Gefühlsleben der Figur gemäß der barocken Affektenlehre. Dabei handelt es sich um eine Art Katalog der musikalischen Darstellungsmittel für eine bestimmte Gefühlslage, etwa ein Seufzermotiv. Die übliche Arienform der Opera seria ist die Da-capo-Arie mit der Form A-B-A: Beide Teile stehen oft in deutlichem Kontrast zueinander und unterscheiden sich in Tonart, Tempo und Charakter. Die Wiederholung des A-Teils gibt dem Sänger Gelegenheit, durch Verzierungen der Gesangslinie sein technisches Können zu präsentieren.

sodass das Publikum der Handlung folgen konnte, die Texte von Arien und Chören waren dagegen häufig in der stilistisch passenden Sprache geschrieben. Beliebt waren die für die Hamburger Opern typischen »Marktschreierszenen« mit Anspielungen auf lokale Gegebenheiten. Prägende Figur der frühen Jahre der Gänsemarktoper war der Komponist Reinhard Keiser (1674–1739), ab 1697 Kapellmeister und von 1703 bis 1707 Direktor der Bühne. Er selbst schrieb 77 Opern, förderte aber auch Nachwuchstalente

Die Sängerin Faustina Bordoni, Ehefrau des Hofkapellmeisters Johann Adolph Hasse, prägte in den 1730er-Jahren die Dresdener Opernaufführungen (Pastell von Rosalba Carriera, 1730).

wie den jungen Georg Friedrich Händel, der von 1703 bis 1706 als Geiger und Cembalist im Orchester saß und 1705 mit seiner Oper *Almira* einen ersten Erfolg feierte. 1722 übernahm Georg Philipp Telemann (1681–1767) die Intendanz der Gänsemarktoper bis zu deren Schließung 1738. Auch er erwies sich als ungemein fleißiger Komponist: Allein für die Hamburger Bühne schrieb er fast 30 Opern, darunter *Miriways* (1728) über einen afghanischen Stammesfürsten, dem es 1722 gelungen war, die Herrschaft über Persien an sich zu reißen, und dessen Schicksal in Europa mit großem Interesse verfolgt wurde.

London wird durch Georg Friedrich Händel zum Musikzentrum

Georg Philipp Telemann war einer der angesehensten Komponisten der Barockzeit und schuf ein umfangreiches Opernwerk. Zunächst Kapellmeister in Frankfurt, leitete er ab 1722 die Gänsemarktoper in Hamburg.

Wie in Frankreich hatte auch in England der Tanz bei Bühnendarbietungen eine starke Tradition. Hier wurde die Gattung der Masque gepflegt, ein Maskenspiel mit einem Prolog und einem allegorischen Hauptstück, einer Abfolge von gesprochenem Text, Liedern, Instrumentalmusik und Tänzen, an denen sich Adlige und Angehörige des Königshauses beteiligten. Den Abschluss bildete ein Main Dance, der oft die Zuschauer miteinbezog. Die Masques wurden in der Regel für bestimmte Gelegenheiten komponiert und nur einmal vor höfischem Publikum aufgeführt. Daneben existierte in England wie in Frankreich eine blühende Theatertradition, die einer Etablierung der Oper eher entgegenstand und der Schauspielmusik den Vorzug gab.

Versuche, in England die italienische oder französische Oper einzuführen, scheiterten in den 1670er-Jahren. Stattdessen entwickelte sich aus der Kombination von Masques und Bühnenmusiken ein eigener Typus, die Semi-Oper mit musikalischen Szenen und gesprochenen Dialogen. Hauptvertreter dieser Gattung war Henry Purcell (1659–1695), der sich zunächst als Organist einen Namen gemacht und zu festlichen Anlässen des Königshauses geistliche Musik komponiert hatte. 1689/90 erteilte der Theaterdirektor Thomas Betterton Purcell den Auftrag, die Musik zu seinem Libretto *The Prophetess, or The History of Dioclesian* (*Die Prophetin oder Die Geschichte Diokletians*, UA 1690) zu komponieren, als weitere Auftragswerke folgten *King Arthur or The British Worthy* (*König Arthur*, 1691) und *The Fairy Queen* (1692) nach William Shakespeares *Ein Sommernachtstraum*.

Bereits zuvor hatte Purcell die einzige durchkomponierte englische Oper jener Zeit geschrieben, *Dido and Aeneas*, deren erste belegbare Aufführung 1688 oder 1689 in einer Mädchenschule in Chelsea stattfand; möglicherweise erklang sie aber auch schon früher in einem anderen Rahmen. Wie in der französischen Oper sind die Arien, darunter das mit einem Ostinato-Bass unterlegte Lamento der Dido, »When I am Laid in Earth«, kurz und liedhaft gehalten, dem Chor kommt eine bedeutende Rolle zu. Ohne die zugehörigen Ballettmusiken dauert die Oper eine knappe Stunde, mit den Tanzszenen ist sie abendfüllend.

1705 wurde in London das Queen's (später King's) Theatre am Haymarket eröffnet, das sich darum bemühte, endlich das Interesse des Publikums für italienische Opern zu wecken. Ein Durchbruch gelang 1711, als dort Händels *Rinaldo* ein triumphales Debüt feierte; das bewog den Komponisten dazu, seinen Wohnsitz ganz in die englische Hauptstadt zu verlegen. 1719 wurde die Royal Academy of Music mit Händel als künstlerischem Leiter unter der Schirmherrschaft des Königs eingerichtet. Noch im selben Jahr reiste Händel nach Dresden, um dem dort am Hof des sächsischen Kurfürsten wirkenden italienischen Komponisten Antonio Lotti die besten Gesangsstars auszuspannen. Seine Rechnung ging auf, die Opernbühne feierte Erfolg um Erfolg und wurde zu einem wesentlichen Gesprächsthema in der Stadt, wie der Schriftsteller John Gay 1722 in einem Brief an seinen irischen Kollegen Jonathan Swift berichtete:

Dido and Aeneas von Henry Purcell ist eines der Hauptwerke der englischen Operngeschichte (Bühnenbild von Giuseppe Galli da Bibiena, 1712).

»Was die Unterhaltung in der Stadt betrifft, dreht sich alles um Musik. Reale Fiedeln, Bassgamben und Oboen, nicht poetische Harfen, Leiern und Flöten. Niemand darf mehr sagen Ich singe außer Eunuchen oder einer Italienerin. Jedermann hält sich für einen großen Musikexperten [...] und Leute, die keine Melodie von der anderen unterscheiden konnten, diskutieren jetzt täglich über die verschiedenen Stilrichtungen von Händel, Bonocini und Attilio. Homer, Vergil und Cäsar sind in Vergessenheit geraten oder haben jedenfalls keine Bedeutung mehr, denn in London [...] rühmt man nun [den Kastraten] Senesino als den bedeutendsten Mann, der je gelebt hat.«

Bis 1728 brachte Händel am King's Theatre 14 Opern heraus, darunter *Giulio Cesare in Egitto* (1724) und *Rodelinda* (1725), bevor ihm die parodistische *Beggar's Opera* von Johann Christoph Pepusch und John Gay einen Strich durch die Rechnung machte. Gays Libretto (das Bertolt Brecht im 20. Jahrhundert zu seiner *Dreigroschenoper* umarbeitete) stellt Diebe, Räuber und Falschspieler in den Mittelpunkt der Handlung und konterkariert damit nicht nur das heldische Personal der Opera seria, sondern übt auch harsche Kritik an den Lebensumständen der ärmeren Bevölkerung. Pepuschs Komposition verarbeitet eine Reihe populärer Melodien, auch aus Werken des von ihm verspotteten Händel. Die *Bettleroper* wurde zu einem außerordentlichen Publikumserfolg, nicht zuletzt, weil sie auf Englisch und nicht im als elitär empfundenen Italienisch verfasst war, aber auch, weil es den Machern gelungen war, hervorragende Sänger zu verpflichten. In den folgenden Jahren kamen weitere sogenannte Ballad Operas auf die Bühne, während die »seriöse« Oper immer mehr Publikum einbüßte. Händel versuchte noch bis 1737, sich mit neuen Opern und aus Italien importierten Gesangsstars dieser Entwicklung entgegenzustemmen, musste sein Ensemble aber schließlich auflösen.

Titelblatt der Oper *Julius Cäsar* von Georg Friedrich Händel, die 1724 in der englischen Hauptstadt zu sehen war.

Die 1728 in London uraufgeführte *Beggar's Opera* parodiert die Opera seria und entlarvt zugleich Missstände innerhalb der englischen Gesellschaft.

Georg Friedrich Händel
(1685–1759)

INFO

Der 1685 in Halle geborene Spross einer wohlhabenden Arztfamilie erhielt als Kind Orgel- und Kompositionsunterricht, nahm aber auf Drängen des Vaters 1702 ein Jurastudium auf. Zugleich trat er in seiner Heimatstadt eine Stelle als Domorganist an und ging ein Jahr später nach Hamburg, wo er als Geiger und Cembalist an der Gänsemarktoper wirkte. 1705 gelangte dort seine erste Oper, *Almira*, zur Uraufführung. 1706 reiste Händel nach Italien, wo er neben geistlichen Werken weitere Opern schrieb. Nach seiner Rückkehr 1710 trat er als Kapellmeister in den Dienst des Hannoveraner Kurfürsten Georg Ludwig, reiste aber bald nach London weiter. Dort feierte er mit der Uraufführung seiner Oper *Rinaldo* (1711) einen ersten großen Erfolg. Nur kurzzeitig kehrte er nach Hannover zurück; 1712 verlegte Händel seinen Wohnsitz vollständig in die englische Hauptstadt. Dabei kam es ihm zupass, dass sein Dienstherr 1714 als Georg I. zum englischen König gekrönt wurde. 1720 zählte Händel zu den Initiatoren der Royal Academy of Music, deren Ziel es war, die italienische Oper in London zu etablieren. Acht Jahre lang eilte Händel mit seinen Kompositionen von Triumph zu Triumph, dann brach das Zuschauerinteresse ein, die Academy stand vor der Pleite. Mehrfach, aber vergeblich versuchte der Komponist, das Unternehmen neu zu beleben. Schließlich wandte er sich ganz von der Oper ab und widmete sich dem geistlichen Oratorium, mit dem er das Interesse des Publikums erneut gewinnen konnte. Sein *Messias* (1742) avancierte zu einem der bekanntesten Werke der Musikgeschichte.

AUF DEM WEG ZUR WIENER KLASSIK

Die Aufklärung eröffnet einen anderen Blick auf die Welt

Das 18. Jahrhundert gilt in Europa als das Zeitalter der Aufklärung. Durch naturwissenschaftliche Erkenntnisse und Forschungsreisen des 17. Jahrhunderts hatte sich das Weltbild verändert, bisherige Autoritäten wurden infrage gestellt. Nun waren die Menschen zu eigenständigem Denken aufgefordert. »Habe Mut, dich deines Verstandes zu bedienen«, lautete der Grundsatz Immanuel Kants (1724–1804), des bedeutendsten Philosophen der Aufklärung. Nach seiner Definition ermöglichte diese umwälzende Reformbewegung den »Ausgang des Menschen aus seiner selbstverschuldeten Unmündigkeit«. Vernunft, Mut zu Kritik, geistige Freiheit und religiöse Toleranz sollten kirchliche Dogmatik und absolutistische Herrschaftsformen überwinden. Der »dritte Stand«, das Bürgertum, machte zunehmend eigene Rechte geltend. Die Aufklärung führte zum Bruch mit bisherigen Ordnungen und Machtstrukturen – am radikalsten geschah dies in der Französischen Revolution ab 1789 – und zu einer neuen Vorstellung von der Würde, der Freiheit und dem Glück des Menschen.

Marmorbüste Ludwig van Beethovens in der Walhalla in Donaustauf

Rettungsoper und die Französische Revolution

Im Zusammenhang mit der Französischen Revolution ab 1789 entstanden insbesondere in Frankreich etliche Werke, die Ideale und Gedankengut der Revolution reflektieren. In diesen Rettungs- oder Schreckensopern geht es in der Regel um die Befreiung einer zu Unrecht gefangen gehaltenen Person; am Schluss steht eine dramatische, oft unerwartete Auflösung, bei der Ideale wie Tugend, Freiheit und Menschenwürde über niedere Beweggründe triumphieren. Die Oper reagierte damit auf die gesellschaftlichen Veränderungen im Gefolge der Revolution. Themen wie der Widerstand gegen Unterdrücker, die Handlungsfähigkeit des Einzelnen und das Zusammenwirken zum Erreichen gemeinsamer Ziele waren populär. Musikalisch steht die Rettungsoper in der Tradition der Opéra comique, charakteristische Elemente sind der »élan terrible« (schreckerregender Furor) in Rhythmen und Dynamik, Chorrufe, Fanfarenklänge und Trommelwirbel, die das dramatische Geschehen unterstreichen. Typische Beispiele des Genres sind unter anderen Henri Montan Bertons gegen Kirche und Königsherrschaft gerichtete Oper *Les Rigueurs du Cloître* (*Die Grausamkeiten des Klosters*, 1790), Jean-François Lesueurs Dreiakter *La Caverne* (*Die Räuberhöhle*, 1793) sowie zwei Werke von Luigi Cherubini: *Lodoïska* (1791), in der ein polnischer Graf mithilfe wilder Tartaren seine Geliebte aus der Kerkerhaft befreit, und *Les deux Journée* (*Der Wasserträger*, 1800). Darin bietet ein einfacher Mann, der Wasserträger Micheli, einem verfolgten Grafen und seiner Frau Unterschlupf und verhilft beiden zur Flucht. Auch Ludwig van Beethovens einzige Oper *Fidelio* zählt zu den Rettungsopern.

Parallel dazu erhob sich gegen die barocke Lebensart, die zunehmend als schwülstig und künstlich empfunden wurde, der Wunsch nach dem Einfachen und Natürlichen. Der französische Philosoph, Schriftsteller und Komponist Jean-Jacques Rousseau (1712–1778) entwickelte in seiner *Abhandlung über die Wissenschaften und die Künste* (1750) die Idee eines glücklichen, natürlichen, von Wissenschaft und Kultur noch nicht zerbrochenen Urzustands der Menschheit, aus dem er die Ideale der Natürlichkeit mit ethischen Werten wie Unschuld, Tugend, Freiheit ableitete. Als »Natur« galt auch die Antike, denn dort glaubte man noch alle Menschheitsideale verwirklicht.

Die neuen Vorstellungen und Ideale wurden auch in der Musik verwirklicht: In der Oper wurden die Figuren nun als Handelnde begriffen, die ihr Schicksal selbst in die Hand nehmen und sich im Augenblick bewähren konnten. Besonders in der sogenannten Wiener Klassik mit ihren wichtigsten Vertretern Joseph Haydn (1732–1809), Wolfgang Amadeus Mozart (1756–1791) und Ludwig van Beethoven (1770–1827) strebte man nach einem heiter-natürlichen Ausdruck und einer Ausgewogenheit in Melodik, Rhythmik und Harmonik und vermied die Extreme. So führte Mozart in einem Brief an seinen Vater Leopold Mozart am 26. September 1781 über die Figur des Haremswächters Osmin in seinem Singspiel *Die Entführung aus dem Serail* aus:

»*Denn ein Mensch, der sich in einem so heftigen Zorne befindet, überschreitet ja alle Ordnung, Maß und Ziel, er kennt sich nicht – und so muss sich auch die Musik nicht mehr kennen. – Weil aber die Leidenschaften, heftig oder nicht, niemals bis zum Ekel ausgedrückt sein müssen, und die Musik, auch in der schaudervollsten Lage, das Ohr niemals beleidigen, sondern doch dabei vergnügen, folglich allzeit Musik bleiben muss, so habe ich keinen fremden Ton zum F (zum Ton der Arie), sondern einen befreundeten [...] dazu gewählt.*«

Die Oper wird bürgerlich

In England hatte die Opera seria nach dem Erfolg der *Beggar's Opera* und anderer Ballad Operas nicht mehr zu alter Stärke zurückgefunden, und auch in anderen europäischen Ländern zeigte sich spätestens in der zweiten Hälfte des 18. Jahrhunderts, dass die traditionelle Oper zumindest reformbedürftig war. Bis dahin waren Produktion und Darbietung von Opern weitgehend an höfische Kreise, an weltlichen und geistlichen Adel gebunden. Mit wachsendem wirtschaftlichen und gesellschaftlichen Ansehen und dem entsprechenden Selbstbewusstsein entwickelte sich unter den Bürgern eine steigende Nachfrage nach Kulturevents. Um dieses Bedürfnis zu befriedigen, wurden im 18. Jahrhundert viele neue Spielstätten für die Oper errichtet, darunter das Teatro San Carlo in Neapel, La Fenice in Venedig und die Mailänder Scala, Covent Garden in London, die Berliner Oper Unter den Linden und das Münchner Cuvilliés-Theater.

Zwar blieb die italienische Opera seria ebenso wie die französische Tragédie lyrique noch bis ins späte 18. Jahrhundert die vorherrschende Gattung, doch erhielt sie nun Konkurrenz durch heitere, weniger pompöse Bühnenwerke wie die italienische Opera buffa, die französische Opéra comique und das deutsche Singspiel. Mit dem Publikum veränderten sich die Stoffe, die auf die Bühne kamen. Statt historischer und mythologischer Helden wurden Personen aus dem Volk in den Mittelpunkt der Handlung gerückt. Dabei galt wie für das Sprechtheater die »Ständeklausel«, nach der die Tragödie dem Geschick von Königen, Fürsten und anderen hohen Standespersonen vorbehalten blieb, während Ereignisse aus dem bürgerlichen Leben nur in Komödien dargestellt werden durften, da es diesen an Größe und Bedeutung fehle. Entsprechend wurden die neuen Operngattungen als Komödien benannt, auch wenn sie nicht unmittelbar komische Themen behandelten.

Durch die Reformen von Zeno und Metastasio war das komische Element aus der Oper verdrängt worden; in die italienische Oper fand es in Form von Zwischenspielen zurück. Diese Intermezzi wurden zwischen die Akte einer Opera seria eingefügt,

Teatro alla Scala

Das Mailänder Opernhaus, kurz La Scala genannt, zählt zu den berühmtesten Musiktheaterbühnen der Welt. Nachdem ein Feuer, das nach einer Karnevalsgala ausgebrochen war, am 25. Februar 1776 den Vorgängerbau Teatro Regio Ducale zerstört hatte, erhielt der Architekt Giuseppe Piermarini den Auftrag für den Neubau mit klassizistischer Fassade und prunkvollem Auditorium, der innerhalb von knapp zwei Jahren vollendet wurde. Um Platz für das neue Theater zu schaffen, hatte man die Kirche Santa Maria alla Scala abgerissen, die dem Opernhaus seinen Namen gab. Das Geld für den Neubau kam durch den Verkauf der privaten Balkonlogen zusammen. Eröffnet wurde die Scala am 3. August 1778 mit Antonio Salieris Oper *L'Europa riconosciuta* (*Die wiedererkannte Europa*). Zu dieser Zeit fasste das Haus etwa 3000 Zuschauer, wobei nach den Gepflogenheiten der Zeit das Parkett unbestuhlt blieb, die Besucher die Aufführung also stehend verfolgten. Die weniger betuchten Zuschauer fanden auf den beiden Galerien Platz. Bis heute sind die Opernfreunde, die sich auf diesen »Loggione« versammeln, besonders gefürchtet. So verließ im Dezember 2006 der Tenor Roberto Alagna während eines Auftritts als Radames in Giuseppe Verdis *Aida* nach vehementen Buh-Rufen von der Galerie fluchtartig die Bühne und musste durch den als Einspringer engagierten Antonello Palombi ersetzt werden.

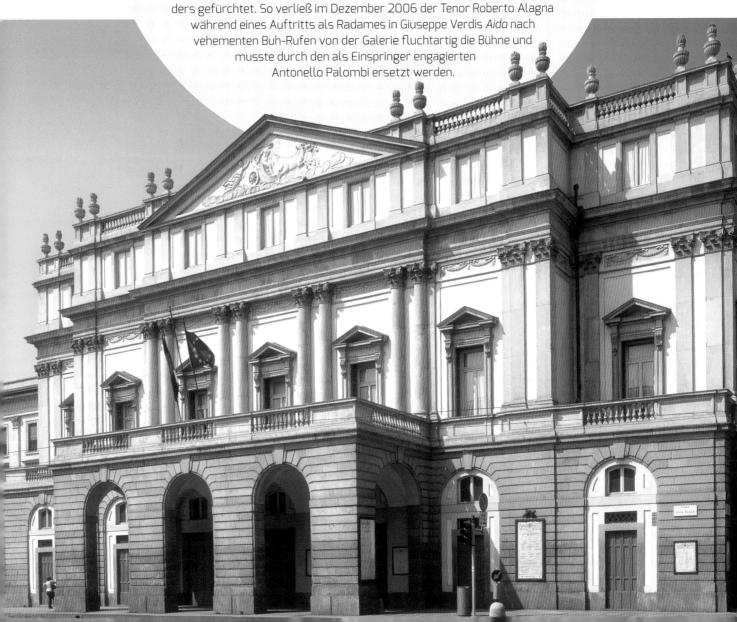

Opera buffa

Die Opera buffa (abgeleitet vom italienischen *buffone* =
Narr, Possenreißer) ist das »bürgerliche« Gegenstück zur
»höfischen« Opera seria. Sie behandelt volkstümliche oder heitere
Themen, ihr Personal gehört häufig unterschiedlichen Gesellschaftsschichten an, zwischen denen sich ein Konflikt aufbaut. Typischerweise
stellt sich die untere Schicht als die pfiffigere heraus, der es mit allerlei
Tricks gelingt, über Standesprivilegien zu siegen. Musikalisch greift die Opera buffa auf einfache Mittel und Formen zurück. Sie verwendet das Secco-
Rezitativ, bei dem die Sänger nur von wenigen Instrumenten begleitet werden
und somit größere rhythmische Freiheiten haben als beim Accompagnato-
Rezitativ, bei dem das ganze Orchester mitspielt. Die Da-capo-Arie mit ihren
Koloraturen und Auszierungen wird durch eine liedhafte Melodik mit kurzen
Phrasen abgelöst; deutlich größere Bedeutung kommt den Ensembles zu, mehrstimmigen Szenen, die oft als Mittel der Steigerung
oder am Aktschluss eingesetzt werden. Insgesamt steht die
Musik stärker im Dienste der Handlung und des Wortes als in
der barocken Opera seria. Die Opera buffa verwendet All-
tagssprache, oft im Parlando, einem der alltäglichen
Sprechweise nachempfundenen Gesangsstil,
vorgetragen, und setzt auch Lautäuße-
rungen wie Niesen, Gähnen und Stot-
tern musikalisch um.

Der italienische Komödi-
endichter Carlo Goldoni
verfeinerte in seinen
Libretti die aus der
Tradition der Commedia
dell'Arte stammenden
Charaktere wie diesen
»Scaramouche« zu indivi-
duellen Figuren.

hatten aber nichts mit deren Handlung zu tun. Berühmtestes Beispiel für eine dieser komischen Einlagen, die
zur Grundlage einer neuen Operngattung wurden, ist
La serva padrona (*Die Magd als Herrin*, 1733), die der
italienische Komponist Giovanni Batista Pergolesi
(1710–1736) als Intermezzo für seinen – heute fast vergessenen – ernsten Dreiakter *Il prigionero superbo* (*Der
hochmütige Gefangene*) schrieb. Er griff das Commedia-
dell'Arte-Motiv des wohlhabenden alten Tölpels auf, der von
seiner gewitzten Dienerin so lange umgarnt wird, bis er sie heiratet. Kompositorisch lehnte sich Pergolesi an die süditalieni-
sche Volksmusik an und verzichtete weitgehend
auf reinen Ziergesang. Die Musik durchbrach die
starren Regeln der barocken Affektenlehre und
unterstützte eine sinnlich-lebendige Umsetzung des

Textes. Gesungen wurde in natürlicher Lage: Die Männerrolle ist eine Basspartie. *La serva padrona* wurde nach der Uraufführung in Neapel bald als eigenständiges Stück gespielt und fand den Weg auf Bühnen in ganz Europa. Heute wird das kurze Zwei-Personen-Stück als grundlegend für die weitere Entwicklung der Opera buffa angesehen.

Gastspiel der Mailänder Scala mit Cimarosas Oper *Die heimliche Ehe* beim Edinburgh Festival 1957

Die Sujets der heiteren italienischen Oper waren auch in der Folge häufig der Commedia dell'Arte mit ihren typisierten Charakteren und alltäglichen Szenen um Liebe und Eifersucht, Intrigen und Ehebruch, Geiz und übertriebenen Stolz entnommen. Erst der Italiener Carlo Goldoni (1707–1793), der neben vielen Theaterstücken auch etwa 200 Opernlibretti verfasste, verlieh den Figuren individuelle Züge, legte sie als Mischung verschiedener Rollentypen an und wirkte damit stilbildend für die Opera buffa. Typisch für Goldonis Libretti ist die abwechslungsreiche Handlung voller unerwarteter Wendungen, die durch ein Ensemble eröffnet wird und mit einem ausgedehnten, für ununterbrochene Musik konzipierten Finale endet. Diese Neuerung zwang die Komponisten, dramatische Wendepunkte nicht mehr im Rezitativ abzuhandeln, sondern sie musikalisch zu verarbeiten. Anders als sonst in dem Genre üblich wurden viele Libretti Goldonis mehrfach vertont, darunter *Il mundo della luna* (*Die Welt auf dem Monde*; Baltasare Galuppi 1750, Josef Haydn 1777) und *La Cecchina ossia La buona figliuola* (*La Cecchina oder Das Findelkind*; Egidio Duni 1756, Niccolò Piccinni 1760). Zudem dienten seine Schauspiele anderen Librettisten als Grundlage für ihre Textbücher. Der Komponist Antonio Salieri (1750–1825) vertonte mehrere solcher Libretti, darunter *La locandiera* (*Die Wirtin*, 1773) und *La calamita de' cuori* (*Der Magnet der Herzen*, 1774). Zu den bedeutendsten Vertretern der neuen Gattung zählte neben Galuppi, Piccinni und Salieri der Neapolitaner Domenico Cimarosa (1749–1801), der unter anderem am Hof der russischen Zarin Katharina der Großen und am kaiserlichen Hoftheater in Wien wirkte. In seiner erfolgreichsten Oper, *Il matrimonio segreto* (*Die heimliche Ehe*, 1792), geht es um einen Vater, der seine Töchter an vornehme Herren verheiraten will, um seinen gesellschaftlichen Aufstieg zu befördern. Natürlich machen ihm die jungen Frauen einen Strich durch die Rechnung, denn eine von ihnen ist bereits heimlich verheiratet.

Der Buffonistenstreit und die Opéra comique

Eine erfolgreiche Aufführungsserie von *La serva padrona* und weiterer Intermezzi an der Pariser Opéra in den Jahren 1752 bis 1754 löste den sogenannten Buffonistenstreit aus, bei dem sich die Anhänger der italienischen Opera buffa und die Parteigänger der französischen Tragédie lyrique unversöhnlich gegenüberstanden, sogar innerhalb des Königshauses: Die »Ecke des Königs« (*coin du roi*), zu der auch der Komponist Jean-Philippe Rameau gehörte, setzte auf nationale Tradition, die »Partei der Königin« *(coin de la reine)* sah in der Opera buffa das Ideal des Natürlichen verwirklicht. Zu dieser Gruppe gehörte unter anderem der Schriftsteller und Philosoph Jean-Jacques Rousseau, der in seinen *Bekenntnissen* berichtete:

»Die komischen Opern gewannen der italienischen Musik sehr begeisterte Anhänger. Ganz Paris teilte sich in zwei Parteien, die sich hitziger bekämpften, als wenn es sich um eine staatliche oder kirchliche Angelegenheit gehandelt hätte. Die eine, mächtiger und zahlreicher, welche von den Großen, den Reichen und den Frauen gebildet wurde, trat für die französische Musik in die Schranken; die andere, leidenschaftlicher, stolzer und schwärmerischer, bestand aus den wahren Kennern, den geistreichen und genialen Leuten.«

Mit seinem *Brief über die französische Musik* (1753) mischte Rousseau bei den Auseinandersetzungen kräftig mit und nahm gegen die französische Operntradition Partei. Die italienische Sprache, so erklärte er, sei »geschmeidiger, wohllautender, harmonischer und akzentuierter als jede andere«, dagegen der französische Gesang »nur ein beständiges Gekläffe und unerträglich für jedes unvoreingenommene Ohr«. Diese Wahrnehmungen hatten ihn allerdings nicht daran gehindert, 1752 selbst Musik und Libretto für das einaktige Intermezzo *Le devin du village (Der Dorfwahrsager)* in französischer Sprache mit gesungenen Rezitativen zu erschaffen. Die Handlung folgt ganz seinem Postulat der natürlichen Schlichtheit: Ein Liebespaar trennt sich vorübergehend, weil der Mann sich zu einer anderen, einer reichen Frau hingezogen fühlt. Dank der guten Tipps des Dorfwahrsagers findet das ursprüngliche Paar aber wieder zusammen. Auch musikalisch setzte Rousseau mit anmutigen Melodien und einer einfachen Akkordbegleitung ein deutliches Gegengewicht zu den komplexen, von vielen als steif und künstlich empfundenen Strukturen der Tragédie lyrique. Die Oper hielt sich bis 1829 auf französischen Bühnen und wurde mehrfach nachgeahmt und bearbeitet. Unter den Parodien erlangte das Singspiel *Bastien und Bastienne* (1768) des seinerzeit zwölfjährigen Wolfgang Amadeus Mozart die größte Bekanntheit.

Der Dorfwahrsager gilt als Wegbereiter einer neuen Gattung der französischen Oper, der Opéra comique. Sie orientierte sich an der Opera buffa, unterschied sich von dieser aber durch gesprochene Dialoge anstelle der gesungenen Rezitative. Zu den bedeutendsten Komponisten der neuen Gattung in der zweiten Hälfte des 18. Jahrhunderts zählt André-Ernest Modeste Grétry (1741–1813), der mit Werken wie *Le Huron* (*Der Hurone*, 1768), dem Schäferstück *Lucile* (1769) oder der Zauberoper *Zémire et Azor* (1771) große Erfolge feierte. Über das letztgenannte Werk urteilte die Zeitschrift Mercure de France:

Der Philosoph Jean-Jacques Rousseau trug mit seinem Intermezzo *Der Dorfwahrsager* zur Entstehung der Opéra comique bei.

»Dieses bezaubernde und neuartige Schauspiel gefällt der Einbildungskraft wie den Augen und geht zu Herzen. Die Musik ist köstlich und immer wahr, gefühlt und durchdacht, sie gibt alle Regungen der Seele wieder.«

Wie schon Rousseau im *Dorfwahrsager* setzte Grétry in seinen Opéras comiques nicht wie die Opera buffa auf komische oder gar groteske Elemente, sondern vor allem auf volkstümliche, rührende Szenen bis hin zum Sentimentalen. In späteren Werken dehnte er die Gattungsgrenze immer weiter zum Tragischen hin aus, so in *Richard Cœur de Lion* (*Richard Löwenherz*, 1784), die als Paradebeispiel einer Rettungsoper gilt. Hier gelingt es dem Troubadour Blondel, König Richard Löwenherz aus dem Kerker eines Schlossgouverneurs zu befreien. Auch dieses Werk firmiert, mit gesprochenen Dialogen, unter der Bezeichnung Opéra comique. Geschichtsträchtig wurde die Oper durch die Einführung eines Erinnerungsmotivs, das auf die Romantik und die Leitmotivtechnik Richard Wagners vorausweist.

Glucks Opernreform

Während Komponisten und Librettisten des heiteren, bürgerlichen Musiktheaters der traditionellen Oper neue Formen entgegensetzten, bemühte sich Christoph Willibald Gluck (1714–1787) darum, die Opera seria zu reformieren und zu erneuern. Gluck, Sohn eines Försters aus der Oberpfalz, war über Wien nach Italien gelangt, wo er mehrere Jahre lang erfolgreich die Opernbühnen in Venedig und Mailand mit konventionellen Werken belieferte. 1752 ließ er sich in Wien nieder und befasste sich intensiv mit der neuen französischen Opéra comique, schlug dann aber, angefangen mit *Orfeo ed Euridice* (1762), einen ganz eigenen Weg ein. Im Vorwort zu seiner nächsten »Reformoper«, *Alceste* (1767), schrieb er:

»Als ich daran ging, die Musik zur ›Alceste‹ zu schreiben, nahm ich mir vor, sie durchaus von all den Missbräuchen zu befreien, die – entweder durch übel beratene Eitelkeit der Sänger oder durch allzu große Gefälligkeit der Komponisten eingeführt – seit langer Zeit die italienische Oper verunstalten und aus dem prächtigsten und schönsten aller Schauspiele das lächerlichste und langweiligste gemacht haben. Ich dachte, die Musik wieder auf ihre wahre Bestimmung zu beschränken, der Poesie durch den Ausdruck und durch die Situationen der Fabel zu dienen, ohne die Handlung zu unterbrechen oder sie durch unnütze, überflüssige Verzierungen zu erkälten, und ich glaubte, dass sie dasselbe bewirken solle wie in einer richtig und wohl angelegten Zeichnung die Lebendigkeit der Farben und der wohlverteilte Kontrast von Licht und Schatten, die dazu dienen, die Figuren zu beleben, ohne ihre Umrisse zu verändern.«

Gluck war keineswegs der Erste, der scharfe Kritik an der Praxis der Opera seria übte. Diese war inzwischen in ein starres Regelwerk eingebunden, das der aufkommenden Forderung nach Natürlichkeit entgegenstand. Die Handlung wurde immer komplexer und für die Zuschauer kaum noch nachvollziehbar. Der dramatische Fortgang wurde vernachlässigt, stattdessen galt es, den Sängern Gelegenheit zur Präsentation ihrer Kunstfertigkeit zu geben, die dann mit Beifall belohnt wurde. Schon 1720 hatte der Jurist und Komponist Benedetto Marcello in seiner Satire *Il teatro alla moda (Das moderne Theater)* den Schematismus der traditionellen Oper scharf angegriffen und die fast uneingeschränkte Machtposition der Kastraten und Primadonnen getadelt. In seiner Schrift *Saggio sopra l'opera in musica (Abhandlung über die Oper)* forderte Francesco Algarotti, der unter anderen den preußischen König Friedrich II. in Fragen der Kunst und der Musik beriet, die Oper müsse auf ihre Grundprinzipien zurückgeführt werden, besonders müsse sie zur Natürlichkeit zurückfinden. Dabei ging es ihm vorrangig um die musikalische Umsetzung, die nach dem Grundsatz »Prima la musica, poi le parole« (»Zuerst die Musik, dann die Worte«) den Text vernachlässige. Er kritisierte unter anderem, dass viele Koloraturen in den Arien nicht dem Ausdruck von Empfindungen dienten, sondern nur die technische Brillanz der Sänger unterstrichen, und bezeichnete von Kastraten mit Sopranstimme dargestellte Herrscherfiguren als unangemessen und unglaubwürdig.

In Zusammenarbeit mit seinem Librettisten Ranieri de' Calzabigi machte sich Gluck daran, die Musik wieder in den Dienst des Wortes zu stellen, also als Ausdruck äußeren und inneren Geschehens zu nutzen. Er entschlackte die Handlung, sorgte für einen einleuchtenden dramatischen Verlauf und einen klaren Aufbau und verzichtete auf Nebenhandlungen, Verwirrspiele und Intrigen. An die Stelle der ausladenden Da-capo-Arien mit dem geschmähten Ziergesang setzte er im

Mit der Oper *Orfeo de Euridice* schuf Christoph Willibald Gluck eine Reformoper, die den starren Regeln der Opera seria Natürlichkeit entgegensetzte (Kupferstich von Charles Monnet, 1764).

Sinne von Schlichtheit und Natürlichkeit strophische oder durchkomponierte Lieder. Die Rezitative mit Orchesterbegleitung wurden dramatisch durchgestaltet. Chor und Ballett bezog er aktiv in das Geschehen ein, und auch die Ouvertüre ist bei Gluck nicht länger ein unverbindliches Instrumentalstück, sondern bereitet auf die Handlung vor.

Anfänge einer deutschsprachigen Oper

Im deutschsprachigen Raum entwickelte sich erst in der zweiten Hälfte des 18. Jahrhunderts eine eigene Operntradition. Vorerst blieb die italienische Opera seria dominierend, die im höfischen Rahmen aufgeführt wurde. Dafür engagierte man häufig reisende Truppen und beschäftigte italienische Komponisten und Sänger. Auch deutsche Komponisten wie Johann Adolph Hasse am Hof des sächsischen Kurfürsten oder Christoph Willibald Gluck am Wiener Kaiserhof schrieben selbstverständlich italienische Opern. Angeregt durch die englische Ballad Opera und die französische Opéra comique entwickelte sich jedoch allmählich eine deutsche Variante der komischen Oper, das Singspiel. Charles Coffeys Ballad Opera *The Devil To Pay* (1731) erzielte in deutscher Übersetzung als *Der Teufel ist los oder Die verwandelten Weiber* in den 1740er-Jahren unter anderem in Berlin und Hamburg große Erfolge. In der Folge wurde das Stück auch mit neuer Musik mehrmals wieder aufgenommen, bis es 1766 der spätere Thomaskantor Johann Adam Hiller (1728–1804) zu einer dreiaktigen komischen Oper verarbeitete. Hiller gilt als Begründer des deutschsprachigen Singspiels. Dessen Merkmale sind der gesprochene Dialog, Lieder und liedhafte Arien sowie das sogenannte Vaudeville-Finale, in dem das Ensemble, ans Publikum gewandt, die Moral der Geschichte verkündet.

Die Handlung ist teils von derber Komik geprägt, oft werden aber auch Stoffe aus dem als Idylle verklärten Landleben verarbeitet. Dies gilt zum Beispiel für weitere Singspiele Hillers, die auf französischen Vorlagen basieren, darunter *Lottchen am Hofe* (1767), *Die Liebe auf dem Lande* (1768) oder *Die Jagd* (1770).

Zentrum des Singspiels war zunächst Leipzig, wo Hiller ab 1771 eine Singschule betrieb. 1776 erklärte der österreichische Kaiser Joseph II. in Wien das Französische Theater (heute Burgtheater) zum Deutschen Nationaltheater mit dem Ziel, das deutschsprachige Schauspiel zu fördern. Zwei Jahre später begründete er zusätzlich das Deutsche Nationalsingspiel, das mit dem Stück *Die Bergknappen* von

Ignaz Umlauf (1746–1796) eröffnet – und schon 1783 wieder geschlossen – wurde. Abgesehen vom Stoff und der deutschen Sprache wies dieses Singspiel allerdings weder eigenständige Formen noch eine eigenständige Musiksprache auf. Vielmehr griff Umlauf weitgehend auf französische und italienische Vorbilder zurück. Der aus Italien stammende Wiener Hofkomponist Antonio Salieri (1750–1825) präsentierte sich 1781 mit dem Singspiel *Der Rauchfangkehrer* auf dieser Bühne, im Jahr darauf erzielte Wolfgang Amadeus Mozart mit seiner *Entführung aus dem Serail* einen großen Erfolg. Das Werk greift einen seinerzeit populären und schon wiederholt in Bühnenwerken verarbeiteten Stoff auf: die Entführung junger Frauen in einen orientalischen Harem, die dann von ihren Liebsten befreit werden. Bei Mozart gelingt allerdings diese Befreiung nicht; dass am Ende alles gut ausgeht, ist der Großzügigkeit des Bassa Selim zu verdanken. Musikalisch brachte Mozart verschiedene Stile und Gattungen unter einen Hut: Schon in der Ouvertüre erklingt die seinerzeit beliebte, türkischen Militärkapellen nachempfundene

Erstaufführung von Haydns Oper *L'incontro improviso* 1775 auf Schloss Esterházy; der Komponist sitzt am Cembalo.

»Janitscharenmusik«, die für eine exotische Anmutung sorgt, der Plappergesang des Haremswächters Osmin entstammt der Opera buffa, während die langen Koloraturarien der entführten Konstanze der Opera seria zuzuordnen sind. Mit *Der Schauspieldirektor* (1786) ließ Mozart ein weiteres Singspiel folgen, um dann wieder italienische Opern zu schreiben, jeweils in Zusammenarbeit mit dem Librettisten Lorenzo da Ponte. In *Le nozze di Figaro* (*Die Hochzeit des Figaro*), 1786 in Wien uraufgeführt, verknüpfte er musikalische und dramatische Gestaltung zu einer Einheit. Die Handlung wird in die Arien hineingetragen, die geschlossenen Musiknummern öffnen sich durch unterschiedlich gestaltete Übergänge zu den Rezitativen. Szenen und ganze Akte erscheinen als zusammenhängende dramatisch-musikalische Komplexe, deren Einzelteile ohne Bezug auf das Ganze ihren Sinn verlieren. Noch stärker verwischen die Gattungsgrenzen in *Don Giovanni* (1787), einer Komödie, deren Titelheld ein böses Ende findet, und in *Così fan tutte* (*So machen's alle*, 1790), die vordergründig als Buffo-Oper daherkommt, durchaus aber als Abbild ihrer unruhigen Entstehungszeit im Jahr der Französischen Revolution und der damit einhergehenden tiefen Verunsicherung der Menschen verstanden werden kann. Nach der in aller Eile komponierten Festoper *La clemenza di Tito* (*Die Milde des Titus*) für die Krönung Kaiser Leopolds II. brachte Mozart 1791 sein Singspiel *Die Zauberflöte* nach dem Libretto von Emanuel Schikaneder auf die Bühne, heute sein in Deutschland meistgespieltes Werk. In dieser »deutschen Oper« – so trug der Komponist sie in sein Werkverzeichnis ein – gelang es ihm, die unterschiedlichsten Elemente zu integrieren, humanistisches Gedankengut und das Wiener Kasperl- und Zaubertheater,

Bühnenentwurf von Karl Friedrich Schinkel zu Mozarts Oper *Die Zauberflöte*, 1816

Wolfgang Amadeus Mozart
(1756–1791)

Mozart, 1756 in Salzburg geboren, erwies sich früh als außerordentliche musikalische Begabung. Sein Vater Leopold Mozart, selbst Komponist am Hof des Salzburger Fürstbischofs, erteilte dem Vierjährigen ersten Unterricht in Komposition, Klavier- und Violinspiel und präsentierte »Wolferl« und seine fünf Jahre ältere Schwester »Nannerl« auf ausgedehnten Konzertreisen durch halb Europa als Wunderkinder. Seine Aufenthalte in zahlreichen deutschen Städten, Paris, London und Italien machten Mozart mit allen wichtigen musikalischen Strömungen seiner Zeit vertraut, die er in seine eigenständige Kompositionsweise integrierte. 1764 erschienen vier Sonaten für Klavier und Violine als seine ersten gedruckten Werke. 1769 ernannte der Fürsterzbischof von Salzburg den 13-Jährigen zu seinem Konzertmeister. Die Tätigkeit in Salzburg wurde wiederholt durch Reisen unterbrochen. Nach einem Wechsel im Amt des Salzburger Kirchenfürsten geriet Mozart zunehmend in Streit mit seinem Dienstherrn. 1781 ersuchte er während eines Wien-Aufenthaltes um seine Entlassung und machte sich mit diesem Schritt zum ersten von unmittelbaren höfischen Bindungen freien Komponisten. In Wien heiratete Mozart 1782 kurz nach der Premiere seines Singspiels *Die Entführung aus dem Serail* die Sängerin Constanze Weber. Die folgenden Jahre waren von ständigen Geldsorgen überschattet, zugleich aber die Epoche seiner Meisterwerke, darunter Sonaten, Sinfonien, Streichquartette und Messen sowie die Opern *Figaros Hochzeit* (1786), *Don Giovanni* (1787) *Così fan tutte* (1790) und *Die Zauberflöte* (1791). Mozarts letztes Werk, das *Requiem*, blieb unvollendet.

W. A. Mozart auf einem Gemälde von Barbara Krafft, 1819

hochartifizielle Arien der Königin der Nacht und Papagenos Volksliedweisen, den würdevollen Ton Sarastros und Paminas bewegenden Klagegesang, als sie den Geliebten verloren glaubt. Die Premiere in einem Wiener Vorstadttheater stieß auf geteilte Zuschauerreaktionen; schnell machte das Werk jedoch die Runde über europäische Bühnen und wurde mehrfach übersetzt, unter anderem ins Polnische, Dänische und Schwedische. Die Mutter Johann Wolfgang von Goethes schilderte 1793 in einem Brief an ihren Sohn den Publikumserfolg der *Zauberflöte* in Frankfurt am Main:

»Neues gibt es hier nichts, außer dass die ›Zauberflöte‹ achtzehnmal ist gegeben worden und dass das Haus immer gepfropft voll war. Kein Mensch will von sich sagen lassen, er hätte sie nicht gesehen. Alle Handwerker, Gärtne – ja gar die Sachsenhauser, deren ihre Jungen die Affen und Löwen (die auf der Bühne erscheinen) machen, gehen hinein. So ein Spektakel hat man hier noch nicht erlebt. Das Haus muss jedesmal schon vor 4 Uhr auf sein, und mit alldem müssen immer einige Hundert wieder zurück, die keinen Platz bekommen können. Das hat Geld eingetragen!«

Der »Vater« der Wiener Klassik, Joseph Haydn, ist heute kaum als Opernkomponist bekannt, obgleich er eine ganze Anzahl von Werken zu dieser Gattung beisteuerte. Den größten Teil seines Berufslebens stand der Komponist in Diensten der Fürsten Esterházy auf deren Schloss in Eisenstadt, von Wien etwa 60 Kilometer entfernt. Dort komponierte er eine Vielzahl verschiedenartiger Werke, darunter 25 Opern. Ein Großteil des Aufführungsmaterials fiel allerdings später einer Brandkatastrophe zum Opfer. Ludwig van Beethoven hat nur eine einzige Oper hinterlassen, mit der er sich ausgesprochen schwertat: »Die Oper erwirbt mir die Märtyr-Krone«, schrieb er 1814, nachdem auch die zweite Umarbeitung bei der Premiere nur einen mäßigen Erfolg erzielt hatte. Erst die 18-jährige Wilhelmine Devrient-Schröder verhalf der Oper 1822 mit ihrer Darstellung der Leonore zum endgültigen Durchbruch. Schon 1804 hatte der Komponist vom Theater an der Wien einen Opernauftrag erhalten. Als Vorlage wählte er Jean-Nicolas Bouillys bereits mehrfach vertontes Libretto *Léonore ou L'amour conjugal (Leonore oder Die eheliche Liebe)*. 1805 brachte er zunächst eine dreiaktige Oper heraus, 1806 dann eine gekürzte zweiaktige *Leonore* und schließlich 1814 den gründlich umgestalteten *Fidelio*, wie wir ihn heute kennen. *Fidelio* ist eine Nummernoper mit gesprochenen Dialogen, was besonders in den biedermeierlichen Anfangsszenen deutlich wird. Die Dramatik, die sich im Folgenden entwickelt, wird von einem sinfonisch angelegten Orchestersatz gestützt. Der Kampf um Freiheit und Gerechtigkeit findet im Schlusschor ein triumphales Ende.

DIE OPER DER ROMANTIK

Rückbesinnung auf die eigenen Wurzeln

In der Musikgeschichte gilt das 19. Jahrhundert als das Zeitalter der Romantik, unterteilt in Früh- (1800–1830), Hoch- (1830–1850) und Spätromantik (1850–1890). Der Begriff »Romantik« stammt aus der Literatur, in der er seit dem 17. Jahrhundert das »Romanhafte«, Übernatürliche, Fantastische bezeichnete. In der deutschen Literatur wurden ab dem Ende des 18. Jahrhunderts Stoffe romantisch genannt, die sich ohne Bezug auf die politische und gesellschaftliche Realität überwiegend mit märchenhaften Erscheinungen beschäftigten. Diese Tendenz stand im Gegensatz zum realistisch-materialistischen Zeitgeist: In der Lebenswelt der Menschen brachte die Industrialisierung gewaltige wirtschaftliche und gesellschaftliche Umwälzungen mit sich. Dies führte dazu, dass sich bis zum Ende des Jahrhunderts ein Empfinden der Isolierung und des Verlorenseins des Einzelnen in einer immer anonymeren Gesellschaft ausprägte. Die Französische Revolution hatte mit ihren Idealen Hoffnungen geweckt, diese aber durch ihren Verlauf enttäuscht. Sie mündete in eine Zeit der kriegerischen Auseinandersetzungen und in eine Epoche der Restauration, eingeläutet durch den Wiener Kongress 1814/15. Im deutschsprachigen Raum wird diese Zeit Biedermeier genannt: Gemeint ist damit zum einen eine Ära, in der das Bürgertum eine eigene Kultur entwickelte, zum anderen eine Epoche des Rückzugs ins Private, ins Hausbackene und Biedere. Die Kräfte, die auf eine Veränderung der politischen Machtverhältnisse drängten, verschafften sich dennoch in den Revolutionsbewegungen von 1830 und 1848 erneut Gehör.

In der Musik zeigte sich die Romantik zunächst in dem Bestreben, alle Ausprägungen der Kunst unter dem Primat der Musik zu vereinen. Die Oper war für dieses Ziel prädestiniert und erlebte einen besonderen Aufschwung. Zu Beginn des 19. Jahrhunderts hatten die »aristokratischen« Gattungen Opera seria und Tragédie lyrique ihre Bedeutung weitgehend verloren. Die »bürgerlichen«, ehemals heiteren Gattungen Opera buffa, Opéra comique und das deutsche Singspiel erweiterten ihren Stoffbereich hin zu großen und ernsten Themen. Mit der Romantik zog ein neues poetisches, metaphysisches Element in die Musik ein. Die Balance zwischen Verstand und Gefühl verschob sich hin zu Ich-Ausdruck, Subjektivismus und Emotion. Das Bestreben, Empfindungen musikalisch zu vermitteln, führte zu einer Ausweitung und Verfeinerung der orchestralen Klangwirkungen, zu einer erhöhten Spannung in der Harmonik bis an die Grenzen der Tonalität und zur Überwindung des streng vorgegebenen Rhythmus. Der Komponist Robert Schumann (1810–1856) sprach von einer »Auflösung der Taktschwere zugunsten einer höheren poetischen Interpunktion«.

In Reaktion auf die Eroberungsfeldzüge des französischen Kaisers Napoleon und die damit verbundene Unsicherheit besann man sich in vielen Ländern auf die nationalen Traditionen. Ein besonderes Interesse richtete sich auf Volkslieder und Volksmusik, aber auch auf Sagen und Märchen, die als Opernstoffe verarbeitet wurden. Das christliche Mittelalter wurde als Quelle volkstümlicher Dichtungen entdeckt und erforscht. Auf der anderen Seite erfreuten sich »exotische« Themen mit entsprechenden musikalischen Anklängen großer Beliebtheit.

Cavatine, Cantabile, Cabaletta

INFO

Mit dem Aufkommen der lebhafteren und beweglicheren Opera buffa im 18. Jahrhundert wurde die Da-capo-Arie des Barocks allmählich durch weniger starre Formen abgelöst, zum Beispiel durch die Cavatine. Dieses liedhafte Sologesangsstück kommt ohne Reprise aus und hat einen eher lyrischen, beschaulichen Charakter sowie ein gemäßigtes Tempo. Längere Melismen und Wortwiederholungen werden ebenso vermieden wie ein Tempowechsel. Vor allem in der ersten Hälfte des 19. Jahrhunderts wurde die Cavatine, auch Cantabile genannt, oft als Eingangsstück zweiteiliger Arien oder Duette verwendet, die mit einer Cabaletta (von italienisch *cobola*, Strophe) abschlossen. Diese Kurzarie setzt sich durch ein deutlich schnelleres Zeitmaß und größere Virtuosität vom ersten Teil ab. Oft wird sie genutzt, um einen Konflikt oder eine Intensivierung der Gefühlslage einzuführen; sie erhöht durch rhythmische Steigerung den dramatischen Ausdruck und schließt häufig einen größeren szenischen Zusammenhang ab.

Die deutsche romantische Oper: Geister und Zauberwesen

Nach der Auflösung des Heiligen Römischen Reichs 1806 war Deutschland mehr denn je in Kleinstaaten zersplittert, von denen viele über kleinere oder größere höfische und städtische Bühnen verfügten. In den bedeutendsten deutschsprachigen Zentren des Opernlebens, Wien, Dresden und Berlin, hatten weiterhin Italiener die Schlüsselpositionen inne. Nach wie vor reisten deutsche Komponisten nach Italien, um sich dort musikalisch weiterzubilden. Mit dem Singspiel hatte sich in der zweiten Hälfte des 18. Jahrhunderts ein deutschsprachiger Operntypus herausgebildet, der aber in sehr unterschiedlichen Spielarten auftrat und kaum in der Lage war, der vorherrschenden italienischen Oper ihren Platz streitig zu machen. So orientierte sich im Norden Deutschlands das Singspiel stärker am Sprechtheater, das Wiener Singspiel stand dagegen der Oper nahe.

Insbesondere zur Zeit der französischen Besetzung und der Erhebung gegen Napoleon erklang immer lauter die Forderung nach einer eigenen Nationaloper. Dabei wurde den »romantischen« Stoffen, die auf Sagen und Märchen zurückgingen, eine besondere Bedeutung zugemessen. Der Komponist Carl Maria von Weber (1786–1826) legte in seinem Romanfragment *Tonkünstlers Leben* der Figur des Hanswurst diese Worte in den Mund:

»Es geht, ehrlich gesagt, der deutschen Oper sehr übel. Sie leidet an Krämpfen und ist durchaus nicht auf die Beine zu bringen. Eine Menge Hilfeleistende sind um sie beschäftigt, sie fällt aber aus einer Ohnmacht in die andere. Auch ist sie dabei so von den an sie gemachten Prätensionen aufgedunsen, dass kein Kleid ihr mehr passen will. Vergebens ziehen die Herren Verarbeiter bald der französischen, bald der italienischen einen Rock aus, um sie damit zu schmücken, das passt aber alles hinten und vorn nicht. Und je mehr frische Ärmel eingesetzt, Schleppen beschnitten und Vorderteile angenäht werden, je weniger will es halten. Nun endlich sind einige romantische Schneider auf die glückliche Idee gefallen, einen vaterländischen Stoff zu wählen, und in diesem wo möglich alles zu verweben, was Ahnung, Glaube, Kontraste und Gefühle je bei andern Nationen wirkten und wirbelten.«

Zu den frühesten in diesem Sinne romantischen deutschen Opern zählt *Faust* von Louis Spohr (1784–1859), die 1813 geschrieben, aber erst 1816 unter Webers Leitung am Prager Ständetheater uraufgeführt wurde. Im Libretto von Joseph Karl Bernard schließt Faust einen Pakt mit dem Teufel, jedoch nicht aus Wissensdurst wie in dem

1808 veröffentlichten gleichnamigen Schauspiel von Johann Wolfgang von Goethe, sondern um sich vor einem wütenden Nebenbuhler in Sicherheit zu bringen. Mithilfe eines von der Hexe Sycorax gebrauten Liebestranks gelingt es ihm schließlich, seinem Rivalen die Braut abspenstig zu machen, und er tötet diesen im Duell. Fausts erste Liebe nimmt sich aus Verzweiflung das Leben. Konzipiert ist das Werk als Nummernoper mit gesprochenem Dialog, es enthält nur wenige szenisch durchkomponierte Passagen. Die erstmals in der Musikgeschichte konsequent eingesetzten Leitmotive und die Besetzung der Titelpartie außerhalb der zeittypischen Rollenfächer – nämlich mit einem Bass statt einer Tenorstimme – weisen auf die weitere Entwicklung der romantischen Oper voraus. Auch E. T. A. Hoffmann (1776–1822) wählte für seine ebenfalls 1816 uraufgeführte Zauberoper *Undine* einen Stoff, in dem sich Reales und Wunderbares – die Welt der Wassergeister – übergangslos miteinander vermischen. Das Libretto verfasste Friedrich de la Motte Fouqué auf der Grundlage seiner gleichnamigen Novelle. Musikalisch blieb Hoffmann weitgehend der Klassik verpflichtet, und auch die Wahrung der Nummernabfolge und der Sprechdialoge weist auf bewährte Operntypen. Die großformatige Gliederung in vielschichtige Szenen stellt aber eine bedeutende Neuerung dar.

Szenenbild einer Aufführung der romantischen Oper *Faust* von Louis Spohr in London, 1852

Obwohl er acht Bühnenwerke vollendete und acht weitere als Fragmente hinterließ, konnte Franz Schubert (1797–1828) als Opernkomponist keine nachhaltige Wirkung erzielen. Singspiele wie die Zauberoper *Des Teufels Lustschloss* (1814), *Die Zwillingsbrüder* (1819), *Alfonso und Estrella* (komponiert 1821/22, UA 1854) oder *Fierrebras* (komponiert 1823, UA 1897) krankten zum einen an der oft verwirrenden, wenig dramatischen Handlung, zum anderen an Schuberts liedhafter Komposition, die so gar nicht dem Geschmack des zeitgenössischen Opernpublikums entsprach. Nicht anders erging es Robert Schumann (1810–1856), dessen einzige Oper *Genoveva* 1850 bei der von ihm selbst geleiteten Premiere in Leipzig durchfiel und auch später kaum je gespielt wurde.

Libretto

INFO

Das Textbuch einer Oper wird seit dem ausgehenden
18. Jahrhundert allgemein als Libretto (italienisch: »klei-
nes Buch«) bezeichnet. Der Begriff leitet sich von der schon
im 17. Jahrhundert in Italien geübten Praxis ab, die Operntexte als
handliche »Büchlein« zu drucken und am Eingang des Theaters zum
Mitlesen während der Vorstellung zu verkaufen. Das Libretto stellt kein
eigenständiges Kunstwerk dar, sondern kommt nur in Verbindung mit der
Komposition zur Geltung. Wie der Librettist Hugo von Hofmannsthal formulierte, der eng mit dem Komponisten Richard Strauss zusammenarbeitete,
könne der Verfasser seinen Text ganz in den Dienst der Musik stellen »wie ein
Drahtgestell, um Musik gut und hübsch daran aufzuhängen«, oder er könne »ein
mehr dienendes Verhältnis der Musik« verlangen, bei dem die musikalische Gestaltung den Eigenwert der Handlung und die Bedeutung der Personen hervor-
hebe. Welcher der beiden Möglichkeiten der Vorzug zu geben sei, ist seit Beginn der Operngeschichte ein immer wieder ausführlich diskutiertes Thema,
das sogar zum Opernsujet wurde: Giovanni Battista Casti und Antonio Salieri machten in *Prima la musica e poi le parole* (*Zuerst die Musik, dann die
Worte*, 1786) einen Komponisten zur Hauptfigur, der sich neue Texte
auf schon vorhandene Musiknummern schreiben lässt. Clemens
Krauss und Richard Strauss kamen im »Konversationsstück
für Musik« *Capriccio* (1942) zu dem Schluss, dass die
Fragestellung unsinnig sei: »Wählst du den einen, verlierst du den andern«, lautet die
Quintessenz.

Gesprochener Dialog und auskomponierte Rezitative

Als Prototyp der deutschen romantischen Oper gilt aber Carl Maria von Webers *Der
Freischütz*. Formal als Singspiel mit gesprochenen Dialogen konzipiert, erfüllt das
Werk alle Kriterien für »deutsch« und »romantisch«: Nähe zur Natur, der scharfe
Kontrast zwischen Agathes Idyll und der düster-bedrohlichen Wolfsschluchtszene,
Übernatürliches, Männerchor und schlichte volksliedhafte Arien. All dies kombinierte Weber zu einem schlüssigen Ganzen, in dem Musik, Sprache und Szenerie inei-
nandergreifen, ohne dass eines dieser Elemente dominiert. Schon bei der Uraufführung 1821 in Berlin stieß der *Freischütz* auf einhellige Begeisterung und sicherte sich
in kürzester Zeit einen festen Platz auf den Spielplänen.

DER FREISCHÜTZ

Opéra de Weber.

Fantaisie   pour Piano

par

EDOUARD DORN.

OP. 39 N°31.

Propriété de l'Editeur

OFFENBACH s/M, chez JEAN ANDRÉ.

London, Augener Lim.

N° 11582   Pr M. 2.

Zuvor hatte sich Carl Maria von Weber unter anderem an einem damals sehr populären »türkischen« Stoff nach einer Erzählung aus *Tausendundeine Nacht* versucht. Der Einakter *Abu Hassan* (1811) steht mit seiner burlesken Handlung sowie nur drei Gesangs- gegenüber vier Sprechrollen in der Tradition der italienischen Opera buffa. Nach dem Riesenerfolg des *Freischütz* erhielt der Komponist den Auftrag, für das Wiener Kärntnertortheater eine Oper zu schreiben. *Euryante* (UA 1823) nach einer Erzählung aus dem 13. Jahrhundert krankte an dramaturgischen Schwächen des Librettos. In der musikalischen Umsetzung verwendete Weber auskomponierte, durch die Klangfarben des Orchesters kommentierte Rezitative, kehrte aber in seiner letzten Oper *Oberon* (1826), einem Auftragswerk des Covent Garden Theatre in London, zum gesprochenen Dialog zurück. Auch Louis Spohr setzte in seiner in der portugiesischen Kolonie Goa angesiedelten Oper *Jessonda* (1823) begleitete Rezitative ein und näherte sich damit dem Konzept einer durchkomponierten deutschen Opernform an.

Die Reihe der romantischen deutschen Opern setzte insbesondere Heinrich Marschner (1795–1861) fort, der in *Der Vampyr* (1828) und *Hans Heiling* (1833) wiederum die Geisterwelt und überirdische Erscheinungen auf die Bühne brachte. Für *Der Templer und die Jüdin* (1829) griff Librettist Wilhelm August Wohlbrück auf den Roman *Ivanhoe* (1820) von Walter Scott zurück. Marschner gilt als Mittler zwischen Weber und dem frühen Richard Wagner, zum einen dank der über Weber hinausgehenden Ausgestaltung großer dramatischer Szenenkomplexe, zum anderen durch die Psychologisierung musikalischer Formen in Verbindung mit expressiver Harmonik und chromatischer Melodik, die auf Wagner vorausdeutet. Allerdings konnte er sich nicht vom gesprochenen Dialog lösen und verfiel immer wieder in den biedermeierlichen Tonfall seiner Zeit.

Als typischer Biedermeier-Komponist und Begründer der deutschen komischen Volksoper gilt Albert Lortzing (1801–1851), der 1828 mit *Ali Pascha von Janina oder Die Franzosen in Albanien* debütierte und insgesamt 17 vollendete Bühnenwerke hinterließ. Der Sohn eines Lederhändlers sammelte in einem unruhigen Wanderleben als Schauspieler und Sänger viel Theaterpraxis – möglicherweise der Grund dafür, dass er die Libretti zu seinen Opern meist selber schrieb. Bis heute ist er mit Werken wie *Zar und Zimmermann* (1837), *Der Wildschütz* (1842) oder *Der Waffenschmied* (1846) nicht nur auf deutschen Bühnen präsent. Ins komische Fach begaben sich auch Otto Nicolai (1810–1849) – *Die lustigen Weiber von Windsor* (1849) nach der gleichnamigen Shakespeare-Komödie –, Friedrich von Flotow (1812–1883) – *Martha oder Der Markt zu Richmond* (1847), aus der Marthas Lied von der »Letzten Rose« und die Tenor-Arie »Ach, so fromm« sich zu eigenständigen »Schlagern« entwickelten – sowie Peter Cornelius (1828–1874) – *Der Barbier von Bagdad* (1858).

Mit Rossini geht die italienische Oper neue Wege

In Italien war von den gesellschaftlichen Umwälzungen, die sich in Mitteleuropa vollzogen, zunächst wenig zu spüren. Hier verlief der Opernbetrieb weiter in

Der Freischütz von Carl Maria von Weber ist eine der bekanntesten Opern der deutschen Romantik. In der Wolfsschluchtszene entscheidet sich das Schicksal des Titelhelden.

Der deutsche Komponist Johann Simon Mayr schrieb in Italien zu Beginn des 18. Jahrhunderts zahlreiche Opern, die in ganz Europa Bekanntheit erlangten. Sein berühmtester Schüler war der Italiener Gaetano Donizetti.

gewohnten Bahnen mit einem großen Bedarf an Neukompositionen der Opera seria und der Opera buffa; allerdings ließ die wachsende Beliebtheit der Opera semiseria (»halb ernste« Oper) auch hier eine Tendenz zur Überschreitung der Gattungsgrenzen erkennen. Weiterhin war die italienische Oper primär eine Gesangsoper mit dem Vorrang der Musik vor dem Wort und der dramatischen Entwicklung sowie der hervorgehobenen Bedeutung der Singstimmen gegenüber dem Orchester. Zu den erfolgreichsten Komponisten der italienischen Oper zählte um die Wende vom 18. zum 19. Jahrhundert der gebürtige Deutsche Johann Simon Mayr (1763–1845), der in Bergamo und Venedig studierte, bevor er 1794 im Auftrag des venezianischen Opernhauses La Fenice für die Karnevalssaison seine erste

Oper, *Saffo*, schrieb. Damit landete er einen so großen Erfolg, dass er anschließend mit Aufträgen geradezu überhäuft wurde. In den folgenden drei Jahrzehnten komponierte er mehr als 60 Bühnenwerke, die in ganz Europa Verbreitung fanden, heute aber weitgehend vergessen sind. In *L'amor coniugale* (1805) vertonte er den gleichen Stoff wie Ludwig van Beethoven in seinem *Fidelio*, allerdings mit einem ganz anderen Schwerpunkt, nämlich mit Blick auf die Liebesbeziehung und gewürzt mit komischen Elementen. Mayr bediente zwar die bekannten Gattungen – insbesondere die Opera seria –, integrierte aber mehr und mehr Ensembles, Chöre und Instrumentalsätze und sorgte so musikalisch wie dramatisch für eine Auflockerung des überkommenen Schemas der Nummernoper.

Spätestens 1813 ging in Italien und bald in ganz Europa der Stern des Gioacchino Rossini (1792–1868) auf, als dessen Opern *Tancredi* und *L'italiana in Algeri (Die Italienerin in Algier)* in Venedig uraufgeführt wurden. Der 18-Jährige hatte 1810 zuerst mit einer *farsa comica*, einer einaktigen komischen Farce mit dem Titel *La cambiale di matrimonio (Der Heiratswechsel)*, auf sich aufmerksam gemacht. Nun bewies er sein Können sowohl auf dem Gebiet der Opera seria wie dem der Opera buffa. Zu seinen Erfolgsstücken zählen insbesondere *Il barbiere di Siviglia (Der Barbier von Sevilla*, 1816), *La Cenerentola* (1817) nach dem Aschenputtel-Märchen von Charles Perrault, *La gazza ladra (Die diebische Elster*, 1817) sowie das *melo-dramma tragico Semiramide* (1823) nach dem Libretto von Gaetano Rossi, mit dem Rossini schon bei *Tancredi* zusammengearbeitet hatte. Dies war die letzte Oper, die Rossini in Italien komponierte, 1824 übernahm er die Direktion des Théâtre des Italiens, der italienischen Opernbühne in Paris. Ein Jahr darauf feierte *Il viaggio a Reims (Die Reise nach Reims)* anlässlich der Krönungsfeierlichkeiten des französischen Königs Karl X. Premiere. Mit *Guillaume Tell (Wilhelm Tell)* im Stil der französischen Grand opéra verabschiedete sich Rossini 1829 vom Opernpublikum. In seinen folgenden knapp 40 Lebensjahren widmete er sich vor allem der Kirchenmusik.

Heinrich Heine verfasste in seinem Essay *Reise von München nach Genua* (1828) eine wahre Lobeshymne auf den Italiener:

»Rossini, divino Maestro, Helios von Italien, der du deine klingenden Strahlen über die Welt verbreitest! Verzeih meinen armen Landsleuten, die dich lästern auf Schreibpapier und auf Löschpapier! Ich aber erfreue mich deiner goldenen Töne, deiner melodischen Lichter, deiner funkelnden Schmetterlingsträume, die mich so lieblich umgaukeln und mir das Herz küssen wie mit Lippen der Grazien! Divino Maestro, verzeih meinen armen Landsleuten, die deine Tiefe nicht sehen, weil du sie mit Rosen bedeckst, und denen du nicht gedankenschwer und gründlich genug bist, weil du so leicht flatterst, so gottbeflügelt!«

Der Barbier von Sevilla
von Gioacchino Rossini
beeinflusste Opernkom-
ponisten in ganz Europa
(Holzstich von Ferdinand
Keller, 1873).

Typisch für Rossini sind seine schwungvolle, von federnden Rhythmen getragene Musik, sein melodiöser Einfallsreichtum und die virtuose Behandlung der Singstimme. Er pflegte wie kaum ein anderer den *canto fiorito*, den verzierten Gesang, wobei er die Sänger zugleich streng disziplinierte: Indem er die Verzierungen genau notierte, nahm er ihnen die Möglichkeit zu ausufernden Improvisationen. Formal fasste er nach dem Konzept »Szene und Arie« häufig Rezitative, Ariosi, Ensembles und andere Teile zu einer größeren Einheit zusammen, die mit einer Arie abschloss. Rossini etablierte außerdem einen neuen Typus der Ouvertüre mit einer langsamen Introduktion, gefolgt von einem zweiten schnellen Teil, in dem zwei kontrastierende Themen verarbeitet werden. Und er »erfand« das Orchester-Crescendo, bei dem nach und nach immer mehr Instrumente einsetzen, während Rhythmus und Tonhöhen allmählich gesteigert werden. Dieses Mittel verwendete er häufig am Schluss der Ouvertüre, aber unter anderem auch bei den von ihm eingeführten Gewitterszenen. Entsprechend den Gepflogenheiten der Zeit findet sich im Schlussakt vieler Opern Rossinis eine sogenannte *Aria di sorbetto*, die Arie einer Nebenperson in einer Szene, die wenig zum Handlungsablauf beiträgt. Während dieser Darbietung durften Verkäufer von Erfrischungen – zum Beispiel Sorbet – ihre Waren im Zuschauerraum feilbieten. Einen solchen Auftritt hat beispielsweise das Dienstmädchen Berta im *Barbier von Sevilla*.

Die Blüte der Belcanto-Oper

Vincenzo Bellini (1801–1835) und Gaetano Donizetti (1797–1848) unterschieden sich weniger formal als im Gesangsstil und in der Wahl ihrer Themen von ihrem Vorgänger Rossini. Bellini, der aus einer sizilianischen Musikerfamilie stammte, brachte 1825 seine erste Oper *Adelson e Salvini* heraus. Mit Unterstützung des Impresarios und Operndirektors Domenico Barbaja (er leitete in den 1820er-Jahren gleichzeitig das Teatro San Carlo in Neapel, die Mailänder Scala und das Kärntertortheater in Wien) erhielt er in den folgenden Jahren eine Reihe von Aufträgen für alle großen italienischen Bühnen und feierte mit *Il Pirata* (*Der Pirat*), die 1827 in Mailand Premiere hatte, einen ersten großen Erfolg. Mit dem Librettisten Felice Romani, mit dem er auch bei seinen folgenden sechs Bühnenwerken zusammenarbeitete, hatte er einen Prototyp der italienischen Oper des Romantismo geschaffen. Im Gegensatz zur deutschen Romantik sind hier keine überirdischen Mächte am Werk. Dafür entstand mit der abschließenden sogenannten Wahnsinnsszene – Imogen verliert den Verstand, als sie von dem Todesurteil gegen ihren Geliebten erfährt – ein Topos, der sich in etlichen Bühnenwerken dieser Zeit wiederfindet. Getreu dem Motto »far piangere cantando« (»durch Gesang zum Weinen bringen«) konzentrierte sich Bellini, der ausschließlich ernste Opern komponierte, vorrangig auf die emotionale Wirkung seiner Musik beim Publikum und verlangte von den Sängern darstellerische Qualitäten und höchste Expressivität. In einem Brief an Carlo Pepoli, den Textdichter seiner letzten Oper *I Puritani* (*Die Puritaner*, 1835), erläuterte er:

»Die Oper muss Tränen entlocken, die Menschen schaudern machen und durch Gesang sterben lassen.«

Belcanto

Der Begriff Belcanto, italienisch für »schöner Gesang«, bezeichnet die italienische Gesangskunst des 17. und 18. Jahrhunderts, aber auch eine Gesangstechnik sowie eine Stilrichtung der italienischen Oper in der ersten Hälfte des 19. Jahrhunderts. Der Belcanto entstand im Zusammenhang mit der Entwicklung der Oper im frühen 17. Jahrhundert und ist eng mit der italienischen Sprache verknüpft, deren Vokalreichtum und überwiegend stimmhafte Konsonantengebung den Stimmklang unterstützt. Wichtige Merkmale des Belcanto-Gesangs sind zum einen die Weichheit des Tons und die Ausgeglichenheit der Register über den gesamten Umfang der Stimme, zum anderen die stimmliche Beweglichkeit, die eine Ausschmückung der Gesangslinie durch Koloraturen, Triller und andere Verzierungen ermöglicht. Gefordert sind außerdem ein weitgehend vibratoloser Gesang, eine gut artikulierte Phrasierung und die Beherrschung von Ausdrucksmitteln wie *messa di voce*, das gleichmäßige An- und Abschwellen der Stimme. Nachdem er in den Opern von Vincenzo Bellini und Gaetano Donizetti noch einmal eine Blütezeit erlebt hatte, geriet der Belcanto-Gesang aus der Mode. Für die Werke Giuseppe Verdis oder Giacomo Puccinis waren kräftigere, dramatischere Stimmen erforderlich, die sich gegen einen vergrößerten Orchesterapparat durchsetzen konnten.

Die Priesterin Norma und der Oberdruide Orovesco in einer Darstellung von Alessandro Sanquirico nach der Oper *Norma* von Vincenzo Bellini, 1831

Text und Musik sollten eng aufeinander abgestimmt sein, etwa durch die Koordination von Wort- und Taktakzent, wobei der Musik die Aufgabe zukam, die Handlung auszuleuchten. Verzierungen, die nicht dramaturgisch begründet waren, sondern lediglich die Virtuosität der Sänger unterstrichen, waren tabu. Gegenüber dem nur begleitenden Orchester räumte Bellini der melodischen Gesangslinie absoluten Vorrang ein, besonders deutlich wird dies in den elegischen Kantilenen, etwa in der berühmten Arie »Casta Diva« aus der Oper *Norma* (1831). Die durchkomponierte Szene, in die diese Arie eingebunden ist, hat den für die Zeit typischen Aufbau, wie er schon für Rossini galt: In den einleitenden rezitativischen Dialog zwischen der Priesterin Norma und dem Oberdruiden Orovesco mischt sich der Chor der Druiden und Priesterinnen, der auch Normas anschließendes Gebet, die Cavatina der zweiteiligen Arie, mit Einwürfen begleitet. Nach einem rezitativischen Mittelteil schließt die Szene mit der Cabaletta, in der die Titelheldin ihren Geliebten beschwört, zu ihr zurückzukehren. Auf diese Weise entsteht eine durchgehende Handlung, in die alle Personen auf der Bühne eingebunden sind.

Neben *Norma*, die Bellini der Starsopranistin Giuditta Pasta auf den Leib schrieb, sind besonders seine Opern *La somnambula* (*Die Nachtwandlerin*, 1831) sowie *I Puritani (Die Puritaner)* bekannt: Letztere entstand nach seiner Übersiedelung nach Paris und wurde dort 1835 uraufgeführt. Wenige Monate später starb der Komponist 34-jährig an den Folgen einer Infektion.

Die Sopranistin Jenny Lind in Donizettis Oper *Lucia di Lammermoor* im Opernhaus Stockholm, 1845

Gaetano Donizetti, ein Schüler von Simon Mayr, hatte bereits 34 Opern komponiert, als er 1830 mit *Anna Bolena* seinen ersten großen Erfolg erlebte, der ihm zugleich den internationalen Durchbruch verschaffte. Mit seinem Librettisten Felice Romani entwickelte er hier erstmals Ensembles mit jeweils unterschiedlichen Melodien zu unterschiedlichen Texten der einzelnen Protagonisten. In der Tragödie *Lucrezia Borgia* (1833), bei der beide erneut zusammenarbeiteten, stand noch einmal eine historische Frauengestalt im Mittelpunkt. Hier wie in *Lucia di Lammermoor* (1835) nutzten Komponist und Librettist die Schlussszene, um vor dem Hintergrund eines festlichen Tableaus ein grauenhaftes Geschehen ablaufen zu lassen: Die auf Rache für erfahrene Beleidigungen sinnende Lucrezia Borgia tötet auf einem Fest mehrere Gäste mit vergiftetem Wein, darunter ihren eigenen Sohn; Lucia di Lammermoor, die von ihrer Familie zur Heirat gezwungen wurde, platzt blutbefleckt in die feiernde Hochzeitsgesellschaft, nachdem sie ihren frisch angetrauten Gatten getötet hat, und verfällt dem Wahnsinn. Neben zahlreichen Opere serie schrieb Donizetti auch heitere Opern, darunter *L'elisir d'amore* (*Der Liebestrank*, 1832) sowie, nachdem er sich 1840 in Paris niedergelassen hatte, *La fille du régiment* (*Die Regimentstochter*, 1840) und *Don Pasquale* (1843).

Die französische Grand Opéra

In Frankreich war die Oper sehr eng mit den gesellschaftlich-politischen Umständen verknüpft. Zur Zeit des Ancien Régime standen antike Helden und Sagengestalten auf der Bühne, zur Zeit der Französischen Revolution wurden in den sogenannten Schreckensopern Ideale wie Freiheit und Menschenwürde gefeiert. In diesen Bühnenwerken begann die strikte Trennung zwischen ernster und komischer Oper zu verwischen: Formal gehörten sie zum Genre der Opéra comique, behandelten aber ernste Stoffe. Nach dem Scheitern der Revolution und dem Aufstieg Napoleon Bonapartes zum Kaiser der Franzosen trat zu Beginn des 19. Jahrhunderts die Grenze zwischen den traditionellen Operngattungen wieder stärker hervor. Die Opéra comique wurde zur unterhaltsamen Spieloper, die Tragédie lyrique diente der Verherrlichung des jungen Kaiserreichs. Beide Genres hatten in Paris getrennte Spielstätten, 1801 kam das Théâtre Italien hinzu, in dem zunächst nur Buffo-Opern, ab 1810 auch Opere serie zu sehen waren. Der italienische Einfluss verstärkte sich weiter, als 1824 Gioacchino Rossini und 1840 auch Gaetano Donizetti nach Paris übersiedelten.

Insbesondere der Italiener Gaspare Spontini (1774–1851) bemühte sich zu Beginn des 19. Jahrhunderts darum, die als antiquiert geltende Tragédie lyrique zu reformieren und eine neue Form der französischen ernsten Oper zu erschaffen. Seinen größten Erfolg feierte er 1807 mit *La vestale* (*Die Vestalin*), einem Paradebeispiel für die Ausstattungsoper zu Beginn des 19. Jahrhunderts. Die Komposition ist prunkvoll, pathetisch und auf Effekt kalkuliert, besonders durch die Betonung der rhythmischen Struktur und die groß angelegten, von Chor und Ballett unterstützten

Tableaus. 1820 wechselte Spontini als Generalmusikdirektor ans königliche Opernhaus in Berlin, für das er unter anderem das »Lyrische Drama« *Agnes von Hohen-
staufen* schrieb. In einem Nachruf auf den Komponisten schrieb Richard Wagner
1851:

---

*»Spontini war das letzte Glied einer Reihe von Komponisten, deren erstes Glied
in Gluck zu finden ist; was Gluck wollte und zuerst grundsätzlich unternahm,
die möglichst vollständige Dramatisierung der Opernkantate, das führte Spontini – soweit es in der musikalischen Opernform zu erreichen war – aus.«*

In Paris formierte sich um 1828 ein neues
ernstes Operngenre, das erst im Nachhinein
die Bezeichnung Grand Opéra erhielt. Daniel-François-Esprit Aubers Oper *La Muet-
te de Portici* (*Die Stumme von Portici*, 1828)
war die erste, die die Prinzipien des neuen
Genres vollständig verwirklichte. Die Große Oper
behandelte in fünf Akten zumeist historische Sujets,
wählte diese aber nicht mehr aus der Antike, sondern
aus dem Mittelalter bis hin zur Gegenwart. Vielfach wurden dabei die Ideale von Freiheit und Gerechtigkeit beschwo-
ren. Die historischen Ereignisse gaben den Rahmen für verwickelte Liebesgeschichten ab und ließen eine Vielzahl von Personen auf
die Bühne treten. Die aufwendige Ausstattung und zusätzliche Büh-
neneffekte, aber auch monumentale Massenszenen, in denen das Volk
in Gestalt des Chores zu Wort kam, sorgten für Prachtentfaltung. Der
französischen Tradition entsprechend wurden vielfach Ballettszenen
in die Handlung einbezogen. Auber vertraute in der *Stummen von Portici* sogar die Titelrolle einer Ballerina an. Anders als in der Tragédie
lyrique konnten auch nicht aristokratische Protagonisten von einem
tragischen Schicksal ereilt werden. In Aubers Erfolgsoper trifft dies
den neapolitanischen Fischer Masaniello, der eine Revolte gegen
die spanischen Besatzer anzettelt, um seine vom Sohn des Vi-
zekönigs verführte Schwester, die stumme Fenella, zu rächen.
Er wird am Ende heimtückisch ermordet, Fenella stürzt sich
unter dem Eindruck dieser Nachricht ins Meer. Im Schlussbild
bricht der Vesuv aus, und glühende Lava fließt auf die Stadt zu.
Bei einer Aufführung des Stücks in Brüssel 1830 gab das revolutionäre
Geschehen auf der Bühne den Anstoß zu einem Aufstand, der letztlich die
Loslösung Belgiens von den Niederlanden zur Folge hatte.

Kostümentwurf für
die Oper *Die Stumme
von Portici* von Auber;
kolorierter Kupferstich,
um 1830

Vollendet wurde die Grand Opéra von Giacomo Meyerbeer (1791–1864). Der in Berlin geborene Bankierssohn entwickelte seinen eigenen Stil, der italienische, deutsche und französische Elemente verknüpfte. Seinen ersten Beitrag zu der neuen Gattung lieferte er 1831 mit *Robert le diable (Robert der Teufel)*, indem er den von der Pariser Opéra geforderten orchestralen und gesanglichen Prunk mit modernen musikalischen Einfällen kombinierte. Erstmals erschien – in einer Kirchenszene, ebenfalls eine Premiere – eine Orgel auf der Bühne. Die unheimliche, aber effektvolle Handlung – Herzog Robert ist vom Teufel besessen, wird aber durch die Freundschaft Bertrams und die Liebe Isabelles befreit – traf den Nerv des Publikums ebenso wie die außerordentlich anspruchsvollen Gesangspartien mit extremen Höhen und Tiefen und langen Belcanto-Phrasen. Mit einem historischen Stoff landete Meyerbeer 1836 einen weiteren Erfolg: *Les Huguenots (Die Hugenotten)* befasst sich mit den Ereignissen der berüchtigten Bartholomäusnacht von 1572; in *Le Prophète (Der Prophet, 1849)* machte er den Wiedertäuferaufstand von 1535 zum Thema, in seiner 1865 posthum uraufgeführten Oper *L'Africaine (Die Afrikanerin)* geht es um die Entdeckung des Seewegs nach Indien durch den Portugiesen Vasco da Gama Ende des 15. Jahrhunderts.

Zu Meyerbeers schärfsten Konkurrenten zählte Jacques Fromental Halévy (1799–1862), heute vor allem durch seine Oper *La Juive (Die Jüdin,* 1835) bekannt, die zur Zeit des Konstanzer Konzils im 15. Jahrhundert spielt. Hector Berlioz (1803–1869) legte seine einzige Grand opéra *Les Troyens (Die Trojaner)* so ausladend an, dass sie zu seinen Lebzeiten nur in Teilen aufgeführt wurde. Die erste Gesamtaufführung ging 1890 in Karlsruhe an zwei Tagen über die Bühne. Der Komponist, der selbst das Libretto schrieb, reihte

Edgar Degas: *Das Ballett von »Robert le diable«,* 1871

Hosenrolle

Im Barockzeitalter hatten Komponisten und Publikum kein Problem damit, dass die Geschlechterrollen in der Oper nicht eindeutig getrennt waren. Männliche Hauptrollen waren insbesondere in der italienischen Oper oft für Sopranstimmen geschrieben, gesungen wurden sie von Kastraten. Diese wurden häufig auch in Frauenrollen eingesetzt. Erst in der ersten Hälfte des 19. Jahrhunderts setzte sich die Praxis durch, dass ein Tenor die männliche Hauptrolle übernahm. Ausnahmen blieben junge Männer kurz vor dem Erwachsensein: Vincenzo Bellini besetzte in seiner Oper *I Capuleti e i Montecchi* (1830) nicht nur Julia, sondern auch Romeo mit einer Frauenstimme, in der Uraufführung schlüpfte Giuditta Grisi an der Seite ihrer Schwester Giulia Grisi in diese Hosenrolle. Zuvor schon hatte Wolfgang Amadeus Mozart einen Heranwachsenden, Cherubino in *Il nozze di Figaro*, als von einer Frau gesungene männliche Rolle konzipiert. Ebenso vertraute Richard Strauss in *Der Rosenkavalier* (1926) die Rolle des jungen Octavian einem Mezzosopran an. Beliebt waren Hosenrollen in der Operette; in diesem Genre machte man sich auch den besonderen erotischen Reiz einer Frau in Männerkleidung zunutze. Berühmte Hosenrollen in der Operette sind beispielsweise die des Prinzen Orlofski in der *Fledermaus* (1874) von Johann Strauss und die des Dieners Ganymed in Franz von Suppés *Die schöne Galathée* (1865), der als Mezzosopran mit Galathée, einem Koloratursopran, ein »Kussduett« zu singen hat.

im Wesentlichen große Tableaus aneinander, ohne besonderen Wert auf die dramatische Wirkung zu legen, und schuf mit dieser durchkomponierten Großform eine wichtige Neuerung. Zudem entwickelte er ein überdimensionales Orchester mit erstaunlichen Klangwirkungen.

Opéra comique und Operette

In Frankreich entwickelten sich die ernste und die komische Oper weitgehend getrennt voneinander. Nur wenigen Komponisten gelang es, Beiträge für beide Gattungen zu liefern, unter ihnen Daniel-François-Esprit Auber, der in *Fra Diavolo ou*

L'Hôtellerie de Terracine (*Fra Diavolo oder Das Gasthaus zu Terracina*, 1830) ein heiter-elegantes Spiel mit seinem Personal und den Zuschauern treibt. Brillant ironische Charakterzeichnungen, Spannungsreichtum und Witz zeichnen diese Oper aus. Zu dem Erfolg trug nicht zuletzt das Libretto von Eugène Scribe (1791–1861) bei, einem der erfolgreichsten Librettisten des 19. Jahrhunderts, der mithilfe eines Mitarbeiterstabs zahlreiche äußerst bühnenwirksame Textbücher verfasste, unter anderem für Gioachino Rossini, Vincenzo Bellini, Gaetano Donizetti, Giacomo Meyerbeer, Jacques Fromental Halévy und Giuseppe Verdi. Eins seiner ersten Libretti schrieb er für *La dame blanche* (*Die weiße Dame*, 1825), vertont von François-Adrien Boïeldieu. Die Handlung spielt höchst romantisch auf einem schottischen Schloss und steckt voller Intrigen, Verwicklungen und Verwechslungen: Das vermeintliche Gespenst – die weiße Dame – ist in Wahrheit ein einfaches Mädchen, ein im Schloss logierender Offizier entpuppt sich als der rechtmäßige Erbe, der einst entführt wurde, und am Ende gibt es ein Liebespaar, das über die Standesgrenzen hinweg zueinanderfindet. Auch Banditen waren als Protagonisten der Opéra comique beliebt, so etwa ein Seeräuber in Ferdinand Hérolds *Zampa ou La Finacée de marbre* (*Zamba oder Die Marmorbraut*, 1831) oder eben *Fra Diavolo* um den 1806 hingerichteten »Teufelsmönch« Michele Pezza.

Zu den französischen Romantikern zählt auch der gebürtige Kölner Jacques Offenbach (1819–1880). In seiner fantastischen Oper *Les contes d'Hoffmann* (*Hoffmanns Erzählungen*, UA posthum 1881) verarbeitete er Episoden aus Leben und Werk des Dichters, Komponisten, Zeichners und Juristen E. T. A. Hoffmann. Das Werk enthält alle Elemente der romantischen Oper in Vollendung. Die farbenprächtige Musik, die fantastischen Geschehnisse oder die skurrilen Gestalten, die Hoffmanns Geist entsprungen sind, entsprechen ganz dem Flair der deutschen Romantik. Offenbach schrieb noch zwei weitere Opern – *Les Fées du Rhin* (*Die Rheinnixen*, 1864) und *Le Roi Carotte* (*Der Karottenkönig*, 1872) –, vor allem aber wurde er durch die von ihm aus der Taufe gehobene neue Gattung der Opéra bouffe bekannt, die später allgemein als Operette bezeichnet wurde.

Die Texte der Oper *La dame blanche* (*Die weiße Dame*) stammen von Eugène Scribe, einem der produktivsten Librettisten des 19. Jahrhunderts (Lithografie von Emile Vernier, 1850).

Operette

Dem Wortsinn nach bedeutet Operette »kleine Oper«, und so wurde der Begriff auch im 17. und 18. Jahrhundert verwendet. Die Gattung, die heute als Operette bezeichnet wird – Bühnenwerke mit heiterem Sujet, eingängiger Musik, Gesangs- und Tanzeinlagen sowie gesprochenem Dialog –, entstand Mitte des 19. Jahrhunderts in Paris. Als ihr »Erfinder« gilt der in Köln geborene, aber seit seinem 14. Lebensjahr in Paris ansässige Jacques Offenbach (1819–1880). Er eröffnete 1855 sein Theater Les Bouffes Parisiens, um dort die »einfache und wahre« Opéra comique des 18. Jahrhunderts neu zu beleben. Höchst erfolgreich brachte er Werke wie *Orphée aux enfers* (*Orpheus in der Unterwelt*, 1858) oder *La belle Hélène* (*Die schöne Helena*, 1864) auf die Bühne, die sich humorvoll bis beißend ironisch mit gesellschaftlichen Missständen befassten. In den 1860er-Jahren entwickelte sich der Typus der Wiener Operette mit starken Anklängen an lokale Musik und Themen, aber ohne die engagierte Zeitbezogenheit ihres Pariser Vorbilds und mit einem Hang zum Sentimentalen. Komponisten der Wiener Operette waren unter anderen Franz von Suppé (*Leichte Kavallerie*, 1866), Johann Strauß (*Die Fledermaus*, 1874, *Der Zigeunerbaron* 1886) und Franz Léhar (*Die lustige Witwe*, 1905, *Das Land des Lächelns*, 1929). Während der wirtschaftlichen Blütezeit der Gründerjahre entstand in Berlin eine weitere Spielart der Operette. Auch sie bevorzugte lokale Stoffe, die unsentimental und oft mit ironischer Derbheit behandelt wurden, darunter *Frau Luna* (1899) von Paul Lincke oder Walter Kollos *Drei alte Schachteln* (1917).

Jacques Offenbach gilt als Begründer der Operette als eigenständiger Gattung des Musiktheaters. Der Komponist schrieb aber auch Opern wie *Hoffmanns Erzählungen*.

Ernste und heitere Oper verschmelzen
zum lyrischen Drama

Nach 1850 begannen sich Opéra comique und Grand Opéra zu einer neuen Opernform zu vermischen, dem Drame lyrique. Thematisch lag ihr Schwerpunkt nicht mehr
bei historischen Konflikten, vielmehr rückte eine Liebesgeschichte in den Vordergrund, die häufig tragisch endete. Den Anstoß zu der neuen Gattung gab eine äußere Veränderung, das allmähliche Aufweichen der strikten Pariser Aufführungsrege-
lungen, die 1864 ganz aufgehoben wurden. Durften zuvor ernste Bühnenwerke nur an
der Opéra, ihre heiteren Gegenstücke nur an der Opéra comique, am Théâtre lyrique
und einigen anderen Aufführungsorten gespielt werden, galt diese Trennung nun
nicht mehr. Zu den ersten Opern, die sich diese Neuerung zunutze machen konnten,
zählte *Faust* von Charles Gounod (1818–1893). Bei der Uraufführung 1859 im Théâtre lyrique hatte das Werk noch gesprochene Dialoge, die in der überarbeiteten Fassung, zehn Jahre später an der Opéra zu sehen, zu gesungenen Rezitativen geworden
waren. Angelegt war das Werk von vornherein wie eine Grand Opéra als Fünfakter.
Gounod gelang mit dem typisch deutschen Stoff eine ausgewogene Balance zwischen

Anna Netrebko in
Roméo et Juliette
von Charles Gounod;
Salzburger Festspiele
2010

dramatischen und lyrischen Szenen, typisch französisch sind die in die Handlung integrierten Tänze wie die Walzerszene und das Hexenballett. In *Roméo et Juliette* (1867) nach der Tragödie von William Shakespeare verzichtete Gounod dann auf die in der Grand Opéra üblichen Tableaus, ersetzte den Dialog aber durch Rezitative.

Georges Bizet (1838–1875) verlegte sich in seinem Opernschaffen zunächst auf Exotik. *Les Pêcheurs de perles* (*Die Perlenfischer*, 1863) spielt in Ceylon (heute: Sri Lanka), *Djamileh* (1872) handelt von einer Sklavin, die sich in Kairo in ihren Herrn verliebt und am Ende wenigstens als Favoritin in dessen Harem aufgenommen wird. Krasser Realismus bestimmt dagegen Bizets *Carmen* (1875), die bereits dem italienischen Verismo den Weg bereitet. Der Komponist konzipierte seine bekannteste Oper noch als Opéra comique; die posthum von Ernest Guiraud zugefügten Rezitative rücken *Carmen* in die Nähe der Grand Opéra, zu der allerdings weder die Handlung noch der Ton passen; im Widerspruch zur Opéra comique steht wiederum das tragische Ende, das beim Publikum zunächst nicht gut ankam. Der schweizerisch-US-amerikanische Komponist Ernest Bloch (1880–1959) verwies besonders auf die gelungene Struktur der Oper:

»Nehmen wir etwa Carmen, so sind die jeweiligen bunten, wilden Lieder noch geschlossen. Aber es ist für diese bezeichnend, dass sie nicht einfach nur aneinander gereiht sind, sondern sich, ohne gebrochen zu sein, insoweit wenigstens geöffnet und bereit zum Zuge zeigen, als sie dem Gang der Handlung, statt ihn lyrisch auszuziehen und aufzuhalten, blitzschnell zu folgen imstande sind. Derart geht der Ton ins Weite, um nicht nur den schwärmenden Menschen, sondern auch dem jähen, treibenden Platz zu geben, wie er sich im raschen Abenteuer verliert und bewährt [...].«

Zunächst als Oratorium geplant, zeigt sich *Samson et Dalila* (1877), die bekannteste Oper von Camille Saint-Saëns (1835–1921), mit ihren ausschwingenden Kantilenen und dem effektvollen Orchestersatz als hochromantische Tragödie. Uraufgeführt wurde das Werk, dessen Libretto sich eng an die biblische Erzählung hält, auf Betreiben von Franz Liszt in Weimar; erst 1890 war die Oper erstmals in Frankreich zu sehen. Die Musik Jules Massenets (1842–1912) ist ein Musterbeispiel für die französische Opernromantik mit ihrer charakteristischen Melodik und den zarten Orchesterfarben. Für die Opernbühne schuf der Komponist so gegensätzliche Werke wie die leidenschaftliche *Manon* (1884), den effektvoll-dramatischen *Le Cid* (1885), den gefühlvoll-lyrischen *Werther* (1892) und den tragikomischen *Don Quichotte* (1910), den er dem russischen Bassisten Fjodor Schaljapin widmete. Dieser machte mit seiner Interpretation der äußerst anspruchsvollen Titelrolle die Uraufführung in Monte Carlo zu einem triumphalen Erfolg.

DIE NATIONALOPER

Zarzuela und Savoy Opera

Während in Italien und Frankreich die Oper längst als genuin nationale musikalische Gattung etabliert war, strebten im 19. Jahrhundert im Zeichen eines wachsenden Nationalbewusstseins auch andere europäische Völker danach, der Gattung eine eigene, ihrer kulturellen Tradition entsprechende Prägung zu geben. So entstand unter anderem die deutsche romantische Oper, die eine selbstständige, im Werk Richard Wagners sogar eine dominierende Stellung gewann. In anderen westeuropäischen Ländern tat man sich dagegen schwer, musikalische Bühnenwerke zu schaffen, die über die bloße Nachbildung der ausländischen Vorbilder hinausgingen.

In Spanien machte sich ab den 1850er-Jahren La España Musical, eine Gruppe patriotisch gesinnter Dichter und Komponisten um Joaquín Gaztambide (1822–1870) und Francisco Asenjo Barbieri (1823–1894), für eine Erneuerung der Zarzuela stark, um die Dominanz der französischen und italienischen Oper zu brechen. Die neuen Beiträge waren in Musik und Sprache deutlich volkstümlicher als ihre traditionellen Vorbilder aus dem 17. und 18. Jahrhundert. In der Grundstruktur wechselten kunstvolle Arien, Ensembles, Chor- und Tanzszenen einander ab, unterbrochen von gesprochenem Dialog, populären Liedern sowie komischen oder burlesken Einlagen. Mit seiner dreiaktigen Zarzuela grande *Jugar con fuego* (*Spiel mit dem Feuer*) erzielte Barbieri 1851 einen durchschlagenden Erfolg, der ihm selbst zum Durchbruch verhalf und der Gattung ein neues Gesicht gab. Insgesamt schrieb der Komponist etwa 70 Zarzuelas, unter denen besonders *Pan y toros* (*Brot und Spiele*, 1864) und *El barberillo de Lavapiés* (*Lamparilla*, 1874) weit über die Grenzen Spaniens hinaus bekannt wurden. Große Popularität erreichten zum Beispiel auch Gaztambides *El juramento* (*Der Schwur*, 1858) sowie *Marina* (1865) von Emilio Arrieta. Neben den mehraktigen Bühnenwerken kamen einaktige Zarzuelas in Mode, die mit wenig Aufwand und zu erschwinglichen Eintrittspreisen auf die Bühne gebracht wurden. Die mitunter recht schlüpfrige Handlung war oft in den weniger guten Stadtvierteln von Madrid angesiedelt, häufig gab es dort zwielichtige Gestalten zu sehen. Neben dem 1856 cromieten Teatro de la Zarzuela mit über 2000 Plätzen entstand in Madrid eine Reihe weiterer Bühnen, die sich ausschließlich dieser Gattung widmeten.

Um die eigenständige Nationaloper weiter zu fördern, schrieb die Königliche Akademie der Schönen Künste in Madrid 1903 einen Wettbewerb für eine einaktige Zarzuela aus. Den ersten Preis gewann *La vita breve (Das kurze Leben)* von Manuel de Falla (1876–1946) nach dem Text des erfolgreichen Zarzuela-Librettisten Carlos Fernández-Shaw. Uraufgeführt wurde das Werk, das als die »spanischste aller Opern« gilt, 1913 in Nizza in französischer Sprache, erst im November 1914 war die spanische Originalfassung am Teatro de la Zarzuela in Madrid erstmals zu sehen. Die Handlung – die aus ärmlichen Verhältnissen stammende Salud stirbt aus Kummer, nachdem ihr gut gestellter Verlobter Paco sich einem Mädchen seines Standes zugewandt hat – nutzte der Komponist für eine atmosphärisch dichte Milieuschilderung mit viel Lokalkolorit und andalusisch-maurischen Klängen. Spürbar sind auch Einflüsse des italienischen Verismo und des französischen Impressionismus.

Noch stärker als in Spanien dominierten im England des 19. Jahrhunderts fremdsprachige Opern die Spielpläne. Einer der wenigen Komponisten, die sich gegen diese Konkurrenz durchsetzen konnten, war der Ire Michael William Balfe (1808–1870). Von seinen etwa 30 Opern war *The Bohemian Girl* (*Die Zigeunerin*, 1843) die erfolgreichste. Sie wurde mehrfach übersetzt, unter anderem ins Deutsche und Italienische, und feierte auch in den USA Triumphe. Zu einem »Schlager« entwickelte sich das Lied »I Dreamt I Dwelt in Marble Halls«, in der sich die Hauptfigur Arline an ihre Kindheit erinnert. Eine spezifisch englische Variante der komischen Oper entwickelten in der zweiten Hälfte des 19. Jahrhunderts der Komponist Arthur Seymour Sullivan (1842–1900) und sein Librettist William Schwenck Gilbert (1836–1911) – und dies so

Mit *Jugar con Fuego (Spiel mit dem Feuer)* lieferte der spanische Komponist Asenjo Barbieri einen Beitrag zur nationalen Operngattung seines Landes (Aufführung im Teatro de la Zarzuela in Madrid, 2015).

erfolgreich, dass für ihre Stücke eigens ein Theater, das Savoy Theatre in London, erbaut wurde. Daraus wurde für diese Form der komischen Oper die Bezeichnung Savoy Opera abgeleitet. Der Regisseur Mike Leigh, der 1999 den Film *Topsy-Turvy – Auf den Kopf gestellt* über die Zusammenarbeit des Duos drehte, beschrieb den Stil der Libretti mit folgenden Worten:

»Mit großer Selbstverständlichkeit stellt [Gilbert] immer wieder unsere natürlichen Erwartungen infrage. Erstens lässt er im Rahmen der Geschichte bizarre Dinge geschehen und stellt die Welt auf den Kopf. So heiratet der Gelehrte Richter den Kläger, die Soldaten verwandeln sich in Ästheten und so weiter, und in fast jeder Oper wird der Konflikt durch eine geschickte Veränderung der Spielregeln gelöst. [...] Sein Genius besteht darin, Gegensätze mit einem unmerklichen Taschenspielertrick zu verschmelzen, das Surreale mit dem Realen und die Karikatur mit dem Naturgemäßen; mit anderen Worten, er erzählt eine vollkommen hanebüchene Geschichte, ohne eine Miene zu verziehen.«

Für die Aufführungen der beliebten komischen Opernwerke wurde in London ein eigenes Theater, das Savoy Theatre, gebaut, das der Gattung »Savoy Opera« den Namen verliehen hat.

Sullivan bediente sich bei der musikalischen Gestaltung virtuos aus dem reichen Fundus der deutschen, französischen und italienischen Oper, entwickelte aber in Rhythmik und Melodik und durch den nuancierten Einsatz instrumentaler Klangfarben einen eigenständigen Stil. Seine Arien haben häufig die Form von Strophenliedern mit einfachen Harmonien. Die Musik unterstützt an vielen Stellen die satirische Wirkung der Texte, etwa durch den übertriebenen Einsatz klischeehafter Elemente. Schon mit ihrer zweiten Kooperation *Trial by Jury* (1875) feierten Gilbert und Sullivan einen überragenden Erfolg. Weitere populäre und auf englischsprachigen Bühnen bis heute oft gezeigte Werke sind unter anderem *H.M.S. Pinafore* (1878) mit kräftigen Seitenhieben auf die britische Marine, *Princess Ida* (1884), das sich über Frauenbildung und Darwins Evolutionstheorie lustig macht, sowie *The Mikado* (1885).

INFO

Zarzuela

Die singspielartige Gattung des spanischen Musiktheaters, bei der sich Gesang und gesprochener Text abwechseln, entstand in der ersten Hälfte des 17. Jahrhunderts und ist
nach dem königlichen Jagdschloss Palacio de la Zarzuela bei Madrid
benannt. Zur Unterhaltung des Monarchen und seiner Gäste traten dort
Komödianten aus der Hauptstadt auf, die entsprechend den königlichen
Vorlieben ihre Bühnenstücke zunehmend mit musikalischen Einlagen berei-
cherten und mit erheblichem Aufwand inszenierten. Als erste bekannte Zarzuela gilt *El jardin de Falerina* (UA 1649), von der allerdings nur der Text des Hof-
dramatikers Pedro Calderón de la Barca erhalten ist. Aus der Zusammenarbeit
Calderóns mit dem hoch angesehenen Komponisten Juan de Hidalgo entstanden
weitere Zarzuela, darunter *El Laurel de Apolo*, die 1657 im Prado Premiere feierte.
Ihre Stoffe entlehnte die Zarzuela der Geschichte, Mythen und Legenden, oft rank-
te sich die Handlung, die auch einen tragischen Verlauf nehmen konnte, um einen
Helden. Weil das Geschehen häufig mit der Welt des Fantastischen und Wunderbaren verknüpft war, benötigte man für entsprechende Effekte eine aufwendige Bühnenmaschinerie. Zwar wurde die spanische Operngattung auch im
18. Jahrhundert noch gepflegt (so schrieb Luigi Boccherini 1786 die Zarzuela *La Clementina* für den Palast La Puerta de la Vega in Madrid nach
einem Libretto des Dichters Ramón de la Cruz), doch verlor sie
gegenüber der auch in Spanien modernen italienischen Oper
immer mehr an Boden und geriet bis zu ihrer Wiederbe-
lebung in der zweiten Hälfte des 19. Jahrhunderts
weitgehend in Vergessenheit.

Die nationalrussische und die Moskauer Schule

Im Osten Europas blieb die reiche Musiktradition der jeweiligen Länder weitgehend
auf die Volks- und Unterhaltungsmusik beschränkt; die Kunstmusik wurde von der
westeuropäischen Tonsprache beherrscht. Besonders in Russland und Polen orientierte sich die Oberschicht stark an der westlichen Kultur; die Umgangssprache in
diesen Kreisen war gemeinhin Französisch. Im Bereich der Literatur bemühte sich
in der ersten Hälfte des 19. Jahrhunderts der Russe Alexander Puschkin (1799–1837)
um nationale Eigenständigkeit und Themen, die in allen Bevölkerungsschichten

verstanden wurden. Dies war auch das Anliegen von Michail Glinka (1804–1857), dem »Stammvater der russischen Musik«, der mit seinen beiden Hauptwerken Prototypen der nationalrussischen Oper schuf. Schon 1834 äußerte er selbstbewusst:

»Es scheint mir, dass ich fähig sei, unserem Theater ein Werk zu geben [...], bei dem das Sujet auf jeden Fall ein völlig nationales sein wird. Aber nicht nur das Sujet, auch die Musik. Ich will, dass meine Landsleute sich im Theater wie zu Hause fühlen.«

Maxim Mikhailow in der Titelrolle in der Oper *Iwan Sussani* von Michail Glinka, die später in *Ein Leben für den Zaren* umbenannt wurde.

Glinkas *Ein Leben für den Zaren* (1838) – der ursprüngliche Titel lautete *Iwan Sussanin*, wurde aber kurz vor der Uraufführung »mit allerhöchster Erlaubnis« abgeändert – spielt in der *Smuta*, der »Zeit der Wirren«, die 1613 mit der Krönung des ersten Zaren Michail Romanow beendet wurde: Um zu verhindern, dass der Zarenthron mit einem Polen besetzt wird, wirft sich der alte Bauer Iwan Sussanin den Invasoren entgegen und führt sie in unwegsames Gelände. Seinen Mut muss er mit dem Leben bezahlen. Neben dem historisch-patriotischen Sujet sorgte auch Glinkas kompositorisches Konzept für eine nationale Prägung der Oper. Erstmals erlangten charakteristische Elemente der russischen Musik eine konstituierende Bedeutung für die Oper, was dieser bei Kritikern die abfällige Einordnung als »Kutschermusik« eintrug. Breiten Raum nehmen die Chorszenen ein, die das Volk repräsentieren; die Behandlung der Rezitative gilt als Vorbild für die weitere Entwicklung der russischen Oper. Im Aufbau ist dem Werk allerdings Glinkas Ausbildung im westlichen Ausland anzumerken. Zum Misserfolg wurde die Premiere von Glinkas Oper *Ruslan und Ludmilla* (1842) nach Puschkins märchenhafter Verserzählung von dem

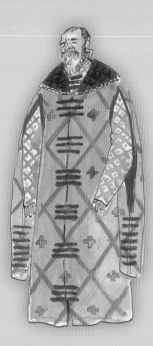

Figurinen in regionaler Tracht zu *Boris Godunow* von Modest Mussorgski, einer der bedeutendsten russischen Opern

Recken Ruslan, der allerlei fantastische Abenteuer zu bestehen hat, bevor er wieder mit seiner Geliebten Ludmila vereint ist. Dies lag weniger an den deutlichen dramaturgischen Schwächen des Librettos als an den starken Anklängen an die »orientalische« Volksmusik etwa durch die Verwendung einer Ganztonleiter als Leitmotiv des bösen Zauberers Tschernomor oder des kaukasischen Nationaltanzes Lesginka.

Die Komponisten Mili Balakirew (1836–1910), Alexander Borodin (1833–1887), César Cui (1835–1918), Modest Mussorgski (1839–1881) und Nikolai Rimski-Korsakow (1844–1908) schlossen sich Ende der 1850er-Jahre zur »Gruppe der Fünf« bzw. zum »mächtigen Häuflein«, wie eine Zeitung sie betitelte, zusammen, um eine wahrhaft nationale Schule der russischen Musik zu erschaffen. In ihrem Streben beriefen sie sich auf Glinka und Alexander S. Dargomyschski (1813–1869), der 1855 seine Oper *Russalka* abgeschlossen hatte. Das von dem Komponisten selbst eingerichtete Libretto basiert fast wortgetreu auf Puschkins gleichnamigem Versdrama. Für die Vertonung entwickelte Dargomyschski eine neue Art des Sprechgesangs, der der russischen Sprache angepasst ist und in erster Linie dazu dient, den Text musikalisch zu unterstreichen und auszudeuten. Damit wird das Wort über die Musik gestellt. Vorrangig ist die Absicht, das Wahre und Reale darzustellen, auch auf Kosten »musikalischer Schönheit«. Noch konsequenter wandte Dargomyschski dieses Verfahren in seiner letzten, nicht mehr vollendeten Oper an, die von Cui und Rimski-Korsakow ergänzt und 1872 uraufgeführt wurde. *Der steinerne Gast*, eine Variante des Don-Juan-Themas, basiert ebenfalls auf einem Puschkin-Drama und kommt, abgesehen von kurzen Kantilenen, ohne Arien und Ensembles aus.

Das Prinzip des »melodischen Rezitativs«, so die von Cui geprägte Bezeichnung, griff vor allem Mussorgski auf, der in Dargomyschski den »Lehrer der musikalischen Wahrheit« erblickte. Der Offizier und Angehörige des Landadels kam in seinem Schaffen dem Charakter der russischen Volksmusik am nächsten. Er übernahm nicht nur deren Melodik, sondern auch Klangfarben, Harmonik, Rhythmus und Stimmführung und verstieß damit am entschiedensten gegen die von der westeuropäischen Musik aufgestellten Regeln. Als formale Grundlage diente ihm allein die gesprochene Sprache. Sein künstlerisches Credo formulierte Cui 1872 in einem Brief:

»Die künstlerische Darstellung der Schönheit allein, in ihrer rein stofflichen Bedeutung ist grobe Kinderei – ist das Kindesalter der Kunst. Die feinsten Wesenszüge der Natur des Menschen und der Menschenmassen, das intensive Beackern dieser wenig erforschten Länder und ihre Eroberung – darin besteht die wahre Mission des Künstlers.«

1868 hatte Mussorgski mit der Komposition der Oper *Die Heirat* nach Nikolai Gogol begonnen, die aber wie vorangegangene Versuche unvollendet blieb. Stattdessen fesselte ihn bald der historische Stoff von Puschkins *Boris Gudonow*, den er selbst zu einem Libretto für ein »musikalisches Volksdrama« mit Prolog in vier Akten umarbeitete. Die erste Fassung von 1870 brachte der Komponist selbst in eine bühnenwirksamere Version, die 1874 in Sankt Petersburg uraufgeführt wurde. Nach Mussorgskis Tod sorgte Rimski-Korsakow für eine Ausgabe seiner Werke, wobei er viele Stücke, darunter den *Boris Gudonow*, ergänzte und umarbeitete. Dadurch trug er zwar entscheidend zur Verbreitung der Kompositionen bei, verfälschte aber durch seine »Verbesserungen« teilweise deren Charakter. Das gilt auch für die unvollendete Oper *Chowanschtschina*, in der Mussorgski die Ereignisse des ausgehenden 17. Jahrhunderts vor dem Machtantritt Peters des Großen bündelte und die Rimski-Korsakow ergänzte und instrumentierte. Charakteristisch sind neben dem »melodischen Rezitativ« die großen realistischen Volksszenen. In Zusammenarbeit mit Alexander Glasunow vollendete und orchestrierte Rimski-Korsakow auch Borodins Oper *Fürst Igor* (UA 1890).

Rimski-Korsakow, ebenfalls zunächst im Militärdienst tätig und ab 1871 Professor am Petersburger Konservatorium, war nicht nur ein Vollender und Bearbeiter fremder Werke, sondern schrieb neben einer Reihe von Orchesterwerken auch 15 Opern. Seine Kompositionen tragen russisch-exotische Züge, vor allem in der meisterhaften farbenreichen Instrumentierung, verraten aber auch den Einfluss von Franz Liszt und Hector Berlioz. Vielfach wählte er Märchen und Sagen als Opernstoffe aus, die er oft selbst zu einem Libretto verarbeitete, zum Beispiel für die Märchenoper *Sadko* (1898) sowie die Ballettoper *Mlada* (1892), die ursprünglich als Gemeinschaftswerk des »mächtigen Häufleins« geplant war. Eine bedeutsame Rolle spielt das Ballett auch in *Schneeflöckchen* (1882; zweite Fassung 1898) und in der satirischen

Ein Kostümentwurf für
die Aufführung der Oper
Schneeflöckchen von
Nikolai Rimski-Korsakow,
die Motive des gleichna-
migen Märchendramas
von Alexander Ostrowski
aufgreift

Märchenoper *Der goldene Hahn* (1909). Auf dem gleichnamigen Versdrama von Alexander Puschkin basiert die Oper *Mozart und Salieri* (1898), in deren Komposition
Rimski-Korsakow Themen aus Mozarts *Don Giovanni* und dem *Requiem* einflocht.

Pjotr I. Tschaikowski
(1840–1893)

Der am 7. Mai 1840 als Sohn eines Hüttendirektors in Wotkinsk geborene Pjotr Iljitsch Tschaikowski trat nach dem Besuch einer Rechtsschule in Sankt Petersburg als 19-Jähriger in den Dienst des Justizministeriums. 1861 nahm er als Schüler von Anton Rubinstein ein Studium am Konservatorium der Stadt auf und quittierte 1863 den Staatsdienst, um sich ganz der Musik zu widmen. 1865 schloss er sein Studium ab und unterrichtete von 1866 bis 1878 Harmonielehre am Moskauer Konservatorium; in diese Zeit fallen die ertragreichsten Jahre seines kompositorischen Schaffens. Neben Sinfonien und weiteren Orchesterwerken entstanden das Ballett *Schwanensee* (UA 1877) sowie mehrere Opern, darunter *Wakula der Schmied* (1876; nach einer Erzählung von Nikolai Gogol). Viel Beifall weit über die Grenzen Russlands hinaus trug ihm das als »lyrische Szenen« bezeichnete Bühnenwerk *Eugen Onegin* (UA 1879) ein. Zwar war ihm damit der künstlerische Durchbruch gelungen, doch in den folgenden Jahren brachte der Komponist kaum etwas zustande. Er litt an Depressionen und fühlte sich wegen seiner Homosexualität isoliert. Das wachsende Interesse an seinem Werk ermöglichte ihm aber Gastspielreisen als Dirigent, die ihn bis in die USA führten. Ab 1888 setzte noch einmal eine intensive Schaffensphase ein, der wir unter anderem die Ballettmusiken *Dornröschen* (1890) und *Der Nussknacker* (1892) sowie die Oper *Pique Dame* (1890) verdanken. Am 6. November 1893 starb Tschaikowski unter nie ganz geklärten Umständen in Sankt Petersburg, vermutlich an Cholera.

Zu der nationalrussischen Schule in Sankt Petersburg bildete der Kreis um den Pianisten und Komponisten Anton Rubinstein in Moskau einen Gegenpol. Zu diesem Zirkel gehörte Pjotr I. Tschaikowski, der in seinem Werk einen spezifischen Personalstil entwickelte, in dem nationale Elemente und Einflüsse der westeuropäischen Musik miteinander verschmelzen. Die Forderung des »mächtigen Häufleins« nach musikalischer Wahrheit lehnte er brüsk ab:

»Mir ist nie etwas Unsympathischeres [...] begegnet als dieser erfolglose Versuch, in die Musik den Begriff der Wahrheit einzuführen, die doch in allem auf einer Täuschung aufbaut und die mit der ›Wahrheit‹ im alltäglichen Sinne gar nichts zu tun hat.«

Als »lyrische Szenen« bezeichnete Tschaikowski seine Oper *Eugen Onegin* (1879) nach der gleichnamigen Verserzählung Alexander Puschkins. Auch er griff damit auf einen »nationalen« Stoff zurück, stellte aber auch eine Verbindung zum Drame lyrique her und rückte wie das französische Vorbild eine Milieustudie in den Mittelpunkt des Geschehens. Im ersten Akt nutzte er dem Stil der russischen Volksmusik nachempfundene Weisen, um das Leben auf einem Landgut zu veranschaulichen; im zweiten und dritten Akt dienen unter anderem Walzer und Polonaise dazu, einen Eindruck der Festlichkeiten in Adelskreisen zu vermitteln. Den Chor setzte er vergleichsweise sparsam ein. *Pique Dame* (1890) ist die zweite unter Tschaikowskis elf Opern, die bis heute zum internationalen Bühnenrepertoire zählt. Das Libretto stammt von Pjotrs Bruder Modest Tschaikowski, der aus Puschkins psychologisch motivierter Novelle ein Drama um Liebe, Leidenschaft und Tod machte, der alten Gräfin dämonische Züge verlieh und die Protagonisten am Ende sterben ließ.

Aufführung der Oper
Eugen Onegin von
Pjotr I. Tschaikowski im
Mariinski-Theater in
St. Petersburg um 1900

»Das mächtige Häuflein«

Um den russischen Komponisten Mili A. Balakirew (1837–1910) sammelte sich 1857 in Petersburg der Kreis der sogenannten Novatoren, die sich die Schaffung einer nationalrussischen Musik mit fortschrittlichem Gepräge zum Ziel setzten. Der Gruppe, die bald ironisch »Das mächtige Häuflein« genannt wurde, gehörten neben Balakirew zunächst César A. Cui und Modest P. Mussorgski an. Nikolai Rimski-Korsakow und Alexander Borodin stießen 1861 bzw. 1862 hinzu. Unter den Mitgliedern des »mächtigen Häufleins« war Balakirew der Einzige, der eine umfassende musikalische Ausbildung erhalten hatte. So trat er zunächst vor allem als Kompositionslehrer für die Übrigen auf. Eine akademische Annäherung an die Musik, wie sie am Konservatorium gelehrt wurde, lehnte die Gruppe ab, da dort nur westliche Kompositionstechniken vermittelt würden. Vielmehr betrachteten die Fünf die russische Volksmusik einschließlich der orientalischen Klangwelten aus dem Osten des Zarenreichs als Grundlage ihres kompositorischen Schaffens. Dies geschah nicht nur aus einem patriotischen Gefühl heraus, sondern ebenso aus Verbundenheit mit der gegen die autokratische Herrschaft des Zaren aufbegehrenden Opposition. Auch bei der Wahl der Stoffe griffen die Komponisten auf die Geschichte und Kultur des Volkes zurück. Ihr Hauptarbeitsfeld war die Oper, ein weiterer Schwerpunkt war das Lied. Daneben entstanden Instrumentalkompositionen, von denen viele programmatische Titel tragen. Als die Begabtesten der Gruppe erwiesen sich bald Mussorgski und Rimski-Korsakow. Ihr zunehmend individualistischer Stil führte in den 1870er-Jahren zum Zerfall der Gruppe.

Die tschechische Oper

Den Grundstein für eine tschechische Operntradition legte Bedřich Smetana (1824–1884), der deutschsprachig aufwuchs und erst als Erwachsener ein tschechisches Nationalgefühl entwickelte. Der Wunsch, ein eigenständiges Musiktheater zu schaffen, ging Hand in Hand mit dem wachsenden Streben seiner Heimat nach Unabhängigkeit von Österreich-Ungarn. Der formale Aufbau seiner heiteren Oper *Die verkaufte Braut* (1866) orientiert sich an der Spieloper und umfasst viele Tanzeinlagen, die in das Geschehen integriert sind. Vordergründig ist die Handlung komödiantisch – ein junger Mann wendet allerlei Tricks an, um die Frau seines Herzens heiraten zu können –, doch hinterlassen das Geschacher um die Braut und der boshafte Umgang mit dem tölpelhaften Nebenbuhler auch einen bitteren Beigeschmack. Musikalisch griff Smetana nicht so sehr auf traditionelle Volkslieder, sondern auf populäre Tänze, insbesondere die Polka, zurück. Die schwungvolle Ouvertüre der *Verkauften Braut,* die ihre Nationalität vor allem in den Rhythmen verrät, hat sich längst zu einem Konzertstück verselbstständigt. Für die Grundsteinlegung des tschechischen Nationaltheaters in Prag komponierte Smetana die Oper *Dalibor* (1868), der die tragische Geschichte des böhmischen

Ritters Dalibor von Kozojedy Ende des 15. Jahrhunderts zugrunde liegt. Zwar kam das
Sujet gut an, doch warf man Smetana vor, sich durch die Verwendung der Leitmotiv-
Technik zu stark an Richard Wagner zu orientieren und die Musik zu »germanisieren«.
Die Kritik verhinderte indes nicht, dass zur Eröffnung des Nationaltheaters 1881 mit
Libussa abermals eine Smetana-Oper erklang. Der Komponist hatte sich schon 1869
mit dem Sagenstoff der Libussa, der angeblichen Gründerin Prags und Ahnherrin des
Geschlechts der Przemysliden, beschäftigt. Er wollte daraus den Inbegriff des natio-
nal-tschechischen Musiktheaters machen. Allerdings betrachtete er das Libretto von
Joseph Wenzig weniger als Oper denn als »festives Tableau«, das nur zu festlichen, die
tschechische Nation betreffenden Gelegenheiten aufgeführt werden sollte. Zwar ließ
er dafür viel slawisches Volksgut in die Partitur einfließen, in der Orchestrierung sind
aber weiterhin Einflüsse Wagners zu hören. Im November 1872 beendete er die Komposition, die mit den Worten der Titelfigur schließt:

*»Meine geliebte tschechische Nation wird nicht untergehen, sie wird die
Schreckenshöllen ruhmhaft überstehen!«*

In einem Interview erklärte der Tscheche Antonín Dvořák (1841–1904) in seinem To-
desjahr, die Oper sei die passendste Gattung für die Nation. Er selbst hatte allerdings
mit seinen Bühnenwerken wenig Glück: Von seinen insgesamt zehn Opern konnte
sich nur *Rusalka* (1901) dauerhaft einen Platz auf den internationalen Bühnen si-
chern. Das Märchen von der Wassernixe, die sich in einen Prinzen verliebt, hatten
vor ihm in teils abgewandelter Form schon E. T. A. Hoffmann, Albert Lortzing (als
Undine) und Alexander Dargomyschski auf die Opernbühne gebracht. Dvořák nutzte den romantischen Stoff zu geradezu impressionistischen Naturschilderungen.
Die Singstimmen sind nach Wagners Vorbild in eine unendliche Melodie verwoben,
ohne auf ariose Stellen zu verzichten. Die berühmteste Melodie ist das »Lied an den
Mond«, in dem Rusalka ihre tiefe Sehnsucht nach Liebe zum Ausdruck bringt.

GIGANTEN DER OPER – VERDI UND WAGNER

Verdis Weg vom Belcanto zum Personalstil

In der zweiten Hälfte des 19. Jahrhunderts wurde die Oper in Italien und Deutschland vor allem von zwei Komponisten dominiert, von Giuseppe Verdi und Richard Wagner, beide Jahrgang 1813. Bei allen – enormen – Unterschieden in der Musik hatten sie auch viel Gemeinsames: neben dem politischen Engagement vor allem die Absicht, die Oper zu reformieren und durch die Integration aller beteiligten Künste vom Libretto bis zum Bühnenbild und der musikalischen und darstellerischen Gestaltung ein »Gesamtkunstwerk« zu schaffen.

Giuseppe Verdi orientierte sich in seinen ersten Bühnenwerken an den Meistern der Belcanto-Oper, konnte damit aber nur bedingt überzeugen. Zwar brachte ihm *Oberto, Conte di San Bonifacio*, uraufgeführt 1839 an der Mailänder Scala, einen so großen Erfolg ein, dass er den Auftrag für drei weitere Bühnenwerke erhielt, doch die anschließende Opera buffa *Un giorno di regno* (*König für einen Tag*, 1840) wurde zum Debakel. Das Publikum äußerte in der Premiere lautstark sein Missfallen, und die Kritik warf ihm eine allzu große Nähe zum Stil eines Gioacchino Rossini und Gaetano Donizetti vor. Der Misserfolg und auch persönliche Schicksalsschläge – in den Jahren 1938 bis 1840 starben seine beiden Kinder und seine erste Ehefrau – ließen den Komponisten vorübergehend verstummen. Umso triumphaler war sein »Comeback« mit der Oper *Nabucco* (1842), in der Verdi zu überzeugenden eigenen Ausdrucksformen fand. Zwar behielt er das Prinzip der Nummernoper bei, straffte die einzelnen Teile aber so, dass der gesamte Handlungsablauf strikt vorangetrieben wurde. Zudem stellte er die Musik in den Dienst der Dramatik: Weitgespannte Melodielinien mit ausgreifenden Intervallsprüngen und die oft schroffen Rhythmen unterstreichen das Geschehen ebenso wie scharfe dynamische Kontraste. Auch wenn er sein Prinzip der »parola scenica« erst 1870 in einem Brief an seinen Verleger Giulio Ricordi formulierte, wandte Verdi dieses Verfahren schon weit früher an. Mit dem »szenischen Wort« wollte er »eine Situation oder einen Charakter herausmeißeln«, sie dem Publikum schlagartig vor Augen führen. Ästhetische Belange wie die musikalische und poetische Eleganz waren dahinter zweitrangig. Schon in *Nabucco* warf Verdi ein solches Schlaglicht, als er den babylonischen König Nabucodonosor in hoher Lage und praktisch ohne Orchesterbegleitung singen lässt: »Non son più Re, son Dio!« (»Ich bin nicht mehr König, ich bin Gott!«)

Neben der Musik begeisterte vor allem die politische Dimension des Werkes das Publikum. Der historische Stoff – die Befreiung der Juden aus babylonischer Gefangenschaft – wurde von vielen Italienern auf die aktuelle Lage ihres Landes bezogen: Italien war zersplittert und stand teilweise unter Fremdherrschaft. Die Empfindungen des Publikums traf Verdi insbesondere mit dem Gefangenenchor »Va, pensiero

Der Chor der Deutschen Oper Berlin in einer Aufführung von Giuseppe Verdis Oper *Nabucco*, 1979

sull'ali dorate« (»Zieht, Gedanken, auf goldenen Flügeln«) aus dem dritten Akt. Der in großen Teilen unisono geführte und mit markanten Rhythmen versehene Chor gewann große Popularität und galt bald als heimliche Nationalhymne der Italiener.

Auch später griff Verdi immer wieder zu historisch-politischen Stoffen, die er nutzte, um den Freiheitskampf eines unterdrückten Volkes oder die Rebellion gegen despotische Herrscher zu thematisieren. Wiederholt kam er wegen seiner politischen Einstellung mit der Zensur in Konflikt, etwa mit *Un ballo di maschera* (*Ein Maskenball*), in dem ein Königsmord dargestellt wird. Die vorgesehene Uraufführung 1858 in Neapel wurde verboten. Als das Werk schließlich 1859 in Rom auf die Bühne kam, begrüßte das Publikum den Meister mit dem Ruf »Viva Verdi« und feierte damit nicht nur den Komponisten: Dessen Name diente als Akronym für den künftigen König eines geeinten Italiens V(ittorio) E(manuele) R(è) d'I(talia). Wie stark sich der Komponist politisch engagierte und sich für das Risorgimento, die italienische Einigungsbewegung, einsetzte, zeigt eine Äußerung in einem Brief an seinen Librettisten Francesco Maria Piave aus dem Revolutionsjahr 1848:

»*Die Stunde der Befreiung hat geschlagen, dessen sei gewiss. Das Volk will sie; und wenn das Volk sie will, dann gibt es keine absolute Macht, die ihm widerstehen könnte [...] Du sprichst mir von Musik?! Was ist in dich gefahren? [...] Glaubst du, ich will mich jetzt mit Musik, mit Tönen befassen? [...] Es gibt und es darf nur eine den Ohren der Italiener von 1848 angenehme Musik geben: Die Musik der Kanonen!*«

Francesco Meli, Anna Netrebko und Placido Domingo in *Il Trovatore* von Giuseppe Verdi, Salzburg 2014

Giuseppe Verdi
(1813–1901)

INFO

Verdi kam am 10. Oktober 1813 in dem Dorf Le Roncole im Herzogtum Parma zur Welt, das zu dieser Zeit von den Franzosen besetzt war. Sein musikalisches Talent trat früh zutage, seine Bewerbung für das Mailänder Konservatorium wurde jedoch abgelehnt. Verdi ließ sich daraufhin privat ausbilden. Seine erste erhalten gebliebene Oper *Oberto, Conte di San Bonifacio* wurde 1839 mit so großem Erfolg an der Mailänder Scala uraufgeführt, dass er den Auftrag für drei weitere Bühnenwerke erhielt. Seinen künstlerischen Durchbruch erzielte er 1842 mit dem Opernwerk *Nabucco*, nach dessen Veröffentlichung er sich vor Aufträgen kaum noch retten konnte. Wirtschaftlich unabhängig geworden, ließ er sich mit seiner späteren Ehefrau, der Sängerin Giuseppina Strepponi, auf dem Landgut Sant'Agata bei Le Rocole nieder. Mit seiner »trilogia popolare« (»populären Trilogie«), den Opern *Rigoletto* (1851), *Il Trovatore* und *La Traviata* (beide 1853), sicherte Verdi seine fast unangefochtene Position als bedeutendster Komponist der italienischen Oper in der zweiten Hälfte des 19. Jahrhunderts. Sehr engagiert in der Bewegung des Risorgimento, nahm er 1861 einen Sitz im ersten Parlament des geeinten Italiens ein, den er aber bald wieder aufgab. Als Auftragswerk zur Eröffnung des Suezkanals 1870 entstand *Aida*, 1887 folgte *Otello*, 1893 seine letzte Oper *Falstaff*. Neben seinen Opern komponierte Verdi auch Kammermusik und geistliche Werke, darunter die *Messa da Requiem* (1874) und die *Quatro pezzi sacri* (1898). In seinen letzten Lebensjahren verstärkte er noch einmal sein soziales Engagement, unter anderem durch die Stiftung eines Altersheims für Musiker. Er starb am 27. Januar 1901 in Mailand.

Mit dem Erfolg von *Nabucco* brachen Verdis »Galeerenjahre« an: Er müsse schuften wie ein Galeerensklave, um die vielen Aufträge zu erledigen, die nun an ihn heran-getragen wurden, erklärte er. Bis 1850 vollendete er nicht weniger als zwölf seiner 26 Opern und verdrängte damit die bis dahin vorherrschenden Komponisten der italienischen Gesangsoper von den Bühnen. Wie seine Vorgänger ließ er der Musik die dominierende Rolle in der Oper, legte jedoch deutlich mehr Gewicht auf die Dra-matik. Mit *Ernani* (1844) begann Verdi seine Zusammenarbeit mit dem Librettisten Francesco Maria Piave (1810–1876), der insgesamt zehn Textbücher für ihn verfasst hat. Der Komponist beteiligte sich zunehmend an der Konzeption und Ausarbeitung der Libretti, um ein Höchstmaß an dramatischer Wirkung zu erzielen. Sein Ziel bei der Gestaltung der Textgrundlage fasste er 1876 in einem Brief in die Worte »inven-tare il vero« (»das Wahre erfinden«): Er wollte beispielhafte menschliche Handlungs-weisen darstellen, die nach seiner Auffassung zwar kein getreues Abbild der Realität liefern, aber eine innere Wahrheit besitzen.

Verdis Unerbittlichkeit bekam Piave unter anderem bei der Arbeit an *Macbeth* zu spüren, der ersten Auseinandersetzung des Komponisten mit einem Werk Wil-liam Shakespeares. Für die Uraufführung der ersten Fassung 1847 in Florenz gab Verdi zudem detaillierte Anweisungen für Bühnenbild, Ausstattung und die In-terpretation der Gesangsrollen, wobei er der dramatischen Wirkung den Vorzug vor dem Wohlklang gab. Für die Figur der Lady Macbeth, die er zur eigentlichen Hauptperson des Dramas machte, verlangte er eine »ungestalte, hässliche« Dar-stellerin mit »einer rauen, erstickten, hohlen Stimme«. Die Premierenbesetzung der Rolle, die Sopranistin Marianne Barbieri-Nini, berichtete, der Komponist habe mit ihr wochenlang Körperhaltung, Gesichtsausdruck und Stimmfärbung geprobt, die ihm für die Schlafwandelszene vorschwebten. Als weiteres Ausdrucksmittel dehnte Verdi den Stimmumfang seiner dramatischen Figuren, insbesondere der Soprane, immer weiter aus und rückte die tiefen Männerstimmen stärker in den Mittelpunkt, zumeist für machtbesessene, oft auch skrupellose Charaktere wie König Nabucodonosor. In *Il Trovatore* (*Der Troubadour*, 1853) betraute er in der Rolle der Zigeunerin Azucena erstmals in der Operngeschichte eine tiefe Frauenstimme mit einer führenden Partie und bereicherte damit noch einmal die Palette der Klangfarben.

»Seconda maniera« und Alterswerk

In den Jahren 1845 bis 1848 realisierte Verdi drei Dramenstoffe von Friedrich Schiller für die Opernbühne; auch in Italien galt der deutsche Dichter als ein Verfechter von Demokratie und politischer Freiheit. Von den drei Werken – *Giovanna d'Arco* (1845; nach *Die Jungfrau von Orleans*), *I masnadieri* (1847; nach *Die Räuber*), ein Auftragswerk für das königliche Opernhaus in London, und *Luisa Miller* (1848; nach *Kabale und Liebe*) – fand nur das letztgenannte dauerhaft den Weg auf die internationalen Bühnen. Mit der Oper nach Schillers bürgerlichem Trauerspiel begann Verdis »seconda maniera«, der Stil seiner zweiten Schaffensperiode, als deren erster Höhepunkt die berühmte Trias aus *Rigoletto* (1851), *Der Troubadour* und *La Traviata* (beide 1853) gilt. Nach dem Scheitern der Revolution von 1848 verzichtete der Komponist zunächst auf weitere politische Stoffe, die im historischen Gewand auf die aktuelle Lage Bezug nahmen, und konzentrierte sich auf gesellschaftliche Zustände und deren Auswirkungen auf den Einzelnen. So ist das Schicksal des Hofnarren Rigoletto, der unwissentlich seine eigene Tochter ermorden lässt, zwar ein persönliches Drama; erklärbar wird es jedoch erst durch Rigolettos untergeordnete Stellung und das unmoralische Verhalten des Herrschers.

Kostümentwürfe zu Verdis Oper *Rigoletto*, die 1851 in Venedig uraufgeführt wurde

In dieser Zeit wurde Verdis Instrumentierung subtiler und flexibler, die dramatische Handlung entwickelte sich logisch aus der Konfrontation der einzelnen Figuren und ihrer jeweiligen seelischen Verfassung. Dazu stellte der Komponist die psychologische Zeichnung der Figuren in den Mittelpunkt seiner Opern. Die Personen äußern sich besonders in den späteren Werken Verdis im »parlar misto«, der gemischten Sprechweise, bei der dramatischer Sprechgesang mit motivisch geprägten Gesangslinien in rascher Folge wechselt. Entsprechend erklärte Verdi 1863, die Sänger seiner Opern benötigten weniger eine ausgefeilte Technik als die Fähigkeit, die Worte zu verstehen und sie auszudrücken.

Die musikalische Formensprache wurde abwechslungsreicher und löste sich mehr und mehr aus den tradierten Schemata. An die Stelle von Rezitativ und Arie, Ensemble und Chor der alten Nummernoper traten weiträumige Szenenkomplexe, die Solo-, Ensemble- und Chorpassagen miteinander verknüpften. Besonders in seinen späteren Werken stellte Verdi durch musikalische Motive szenische Bezüge her. Kurze Motive begleiten etwa jeden Auftritt einer bestimmten Person oder erinnern an frühere Vorkommnisse, hinzu kommen wiederholt zitierte Kernmotive, in denen sich dramatische Ideen verkörpern. Verdis Motivtechnik ist aber in keiner Weise mit den dicht verwobenen Leitmotiven bei Richard Wagner zu vergleichen. Verdis Dringen auf dramatische Zuspitzung veranlasste den Kritiker Francesco Regli 1857 in Bezug auf die Oper *Simone Boccanegra* zu der Bemerkung:

»Das Libretto [...] ist, wenn man so will, eine Beleidigung für die Grammatik und die Logik; sagen Sie das aber Verdi, wenn Sie den Mut dazu haben! So wie Rossini jeden Unsinn in Musik setzte, so wie Donizetti bisweilen den Versen nicht die geringste Bedeutung einräumte (bis zu dem Punkt, dass er selbst welche machte), so achtet Verdi nur auf die Situationen und breitet einen Schleier über den Rest.«

Mit *Les Vêpres siciliennes* (*Die sizilianische Vesper*, 1855), seinem ersten Auftragswerk für die Pariser Opéra, kehrte Verdi zu den historischen Stoffen zurück. Es folgten *Simone Boccanegra* (1857) für das Teatro La Fenice in Venedig, *Un ballo di maschera* (*Ein Maskenball*, 1859) und – im Auftrag des Kaiserlichen Theaters Sankt Petersburg – *La forza del destino* (*Die Macht des Schicksals*, 1862). Die letztgenannte zählt zu den Opern, die Verdi später noch einmal überarbeitete und dabei zum Teil stark veränderte. In diesem Fall ersetzte er unter anderem das kurze instrumentale Vorspiel durch eine groß angelegte Ouvertüre, ließ im Finale des vierten Akts den tragisch liebenden Alvaro, der sich in der ersten Fassung von einem Felsen in den Tod stürzt, am Leben und verwies ihn auf den Willen Gottes. *Simone Boccanegra* war – in der zweiten Fassung von 1881 – die erste Oper, für die Verdis Verleger Giulio Ricordi ein Regiebuch (»dispozione scenica«) mit Vorgaben für die

Inszenierung anfertigte. Schillers Schauspiel *Don Carlos* diente Verdi als Grundla-
ge für ein weiteres Auftragswerk aus Paris; die Uraufführung 1867 wurde zu einem
Misserfolg; unter anderem warf man Verdi vor, er habe sich stilistisch von Richard
Wagner beeinflussen lassen. Dank mehrerer Umarbeitungen existieren von dieser
Oper sieben verschiedene Fassungen, von denen heute meist die letzte von 1886 in
italienischer Sprache gespielt wird.

Nach seiner wohl populärsten Oper, *Aida* (1871), zog sich Verdi mehr als 15 Jahre von der Opernbühne zurück und befasste sich lediglich mit der Revision früherer Werke. Erst das Libretto, das Arrigo Boito nach Shakespeares Tragödie *Othello,
der Mohr von Venedig* anfertigte, bewegte ihn zur Komposition einer weiteren Oper.
In *Otello* (1887) und mehr noch im ebenfalls nach einem Shakespeare-Drama und
in Zusammenarbeit mit dem Librettisten Boito entstandenen *Falstaff* (1893) sind
Arien und Ensembles weitestgehend in den musikalischen und dramatischen Ablauf integriert. Wie schon beim Schlussbild der *Aida* entstehen auf der Bühne zeitweilig getrennte Aktionsräume mit parallelen Handlungsverläufen. In seiner letzten Oper verwendete Verdi nur noch wenige große Melodiebögen und bevorzugte
ein dialogisierendes, dem natürlichen Sprachfluss angepasstes Parlando. Das Orchester erhielt über seine begleitende Funktion hinaus eigenständige Auftritte, um

Montserrat Caballé als
Amelia und Luciano
Pavarotti als Riccardo in
der Oper *Ein Maskenball*
von Giuseppe Verdi (San
Francisco Opera, 1982)

das Bühnengeschehen zu illustrieren. Die Komödie endet mit der Schlussfuge »Tutto nel mondo è burla, l'uom è nato burlone« (»Alles ist Spaß auf Erden, der Mensch als Narr geboren«).

Richard Wagner in der Tradition der deutschen Romantik

Richard Wagner, der zunächst Dramatiker hatte werden wollen, sich dann aber immer stärker für Musik interessierte, begann sein Opernschaffen in der Tradition der deutschen Romantik eines Carl Maria von Weber und eines Heinrich Marschner. Seine erste vollständig erhaltene Oper, *Die Feen*, feierte allerdings erst 1888, fünf Jahre nach dem Tod des Komponisten, Premiere, da sich nach deren Entstehung Anfang der 1830er-Jahre keine Bühne fand, die das Werk aufführen wollte. Wie für all seine musikdramatischen Werke hatte Wagner das Libretto selbst geschrieben. Französische Einflüsse zeigten sich in *Das Liebesverbot* (UA 1836), einer komischen Oper nach William Shakespeares *Maß für Maß*, und dem als tragische Grand Opéra angelegten *Rienzi* über das Schicksal des spätmittelalterlichen römischen Volkstribuns Cola di Rienzo nach einem seinerzeit sehr populären historischen Roman von Edward Lytton-Bulwers. Entstanden ist diese Oper überwiegend während Wagners Aufenthalt in Paris; dort hoffte er sie auch auf die Bühne bringen zu können, was allerdings nicht gelang. Dafür interessierte man sich in Dresden für das Werk, wo es 1842 uraufgeführt wurde – unter Leitung des Komponisten, der damit trotz der ungewöhnlich langen Spieldauer von fast fünf Stunden einen sensationellen Erfolg erzielte. Zu dem Triumph trug nicht zuletzt die Sängerin Wilhelmine Schröder-Devrient (1804–1860) bei, die schon als 17-Jährige Ludwig van Beethovens *Fidelio* zum Durchbruch verholfen hatte und als erste Vertreterin des deutschen hochdramatischen Soprans gilt. Zwar orientierte sich *Rienzi* an der französischen Großen Oper, etwa in den groß angelegten Ensemble- und Chorszenen, der Balletteinlage und der Prachtentfaltung mit Massenaufmärschen, wies aber mit der Zusammenfassung der einzelnen Musiknummern zu szenischen Einheiten bereits auf die späteren durchkomponierten Musikdramen voraus.

Ein durch und durch romantisches Sujet wählte Wagner für seine Oper *Der fliegende Holländer* – die Sage vom »Gespensterschiff« hatte er vermutlich in Riga kennengelernt. Besonders faszinierte ihn das Motiv der »Erlösung durch Liebe«: Die zwischen ihrem Verlobten Daland und dem geheimnisvollen Holländer hin- und hergerissene Senta stürzt sich am Ende ins Meer und erlöst so den Seemann, der wegen einer Gotteslästerung dazu verdammt wurde, ruhelos die Meere zu befahren. Eine stürmische Seereise verhalf Wagner zudem zur »Ur-Inspiration« für die Musik des *Holländer*. Uraufgeführt wurde das Werk 1843 in Dresden; das Publikum zeigte sich nach dem prächtigen *Rienzi* von der kargen Düsternis des neuen Stücks enttäuscht. Auch in den folgenden Opern *Tannhäuser und der Sängerkrieg auf der Wartburg* (1845) und *Lohengrin* (1850) blieb Wagner der romantischen Tradition verhaftet, überhöhte dabei aber seine Sagenstoffe immer stärker ins Mythologische und spann

den Erlösungsgedanken weiter aus. Die Ausgangssituation des *Lohengrin* beschrieb
Wagner in einer *Programmatischen Erläuterung* zum Vorspiel der Oper, die in ihrer
Eingangspassage seine kritische Sicht auf die Gegenwart offenbart:

Szene aus *Lohengrin*
während der Bayreuther
Festspiele 1954

»Aus einer Welt des Hasses und des Haders schien die Liebe verschwun-
den zu sein: in keiner Gemeinschaft der Menschen zeigte sie sich deutlich
mehr als Gesetzgeberin. Aus der öden Sorge für Gewinn und Besitz, der
einzigen Anordnerin alles Weltverkehrs, sehnte sich das unertötbare Lie-
besverlangen des menschlichen Herzens endlich wiederum nach Stillung
eines Bedürfnisses, das, je glühender und überschwenglicher es unter
dem Drucke der Wirklichkeit sich steigerte, umso weniger in eben dieser
Wirklichkeit zu befriedigen war.«

So wie er im Textbuch des *Lohengrin* schicksalhafte Verflechtungen zur Grundlage des Geschehens machte, verflocht er in der Komposition das motivische und thematische Material zu einer Einheit: Die einzelnen Teile der alten Nummernoper wichen einem durchkomponierten Ganzen, aus dessen Fluss sich musikalische Verdichtungen erheben, zum Beispiel der berühmte Brautchor »Treulich geführt«. Das Premierenpublikum in Weimar reagierte mit Unverständnis auf die Oper; dennoch übernahmen in den folgenden Jahren andere Bühnen das Werk, unter anderem begeisterte es 1861 den damaligen bayerischen Kronprinzen Ludwig, der zu einem der wichtigsten Förderer Richard Wagners werden sollte.

Leitmotivtechnik und expressive Tonsprache

Wagners richtungsweisendes Werk *Tristan und Isolde* wurde 1865, sechs Jahre nach seiner Vollendung, am Münchner Nationaltheater uraufgeführt. Mit dieser Oper gelang es dem Komponisten erstmals, das in seinen theoretischen Schriften *Das Kunstwerk der Zukunft* (1849) sowie *Oper und Drama* (1851) entworfene Konzept des Musikdramas umzusetzen. Die Handlung ist auf die wesentlichen Elemente reduziert. Im Vordergrund steht die schicksalhaft prägende innere Entwicklung der Personen, die in einer Tonsprache von bis dahin nicht erreichter Expressivität deutlich wird. Wagner bediente sich im *Tristan* eines umfangreichen Systems von Leitmotiven, die sich – teilweise ineinander verflochten – durch den gesamten Orchestersatz ziehen und auf diese Weise die inneren Vorgänge unabhängig von den Gesangsstimmen darstellen. Es entsteht eine »unendliche Melodie«, ein Begriff, den Richard Wagner erstmals in seinem Aufsatz *Zukunftsmusik* (1860) benutzt und der sich seit dem Ende des 19. Jahrhunderts allgemein als Ausdruck der Auflösung der strengen musikalischen Form durchgesetzt hat. Die instrumentale Polyphonie, in die sich auch die Gesangsstimmen einfügen, führt die Harmonik bis an die Grenzen des tonalen Bezugssystems. Erst am Schluss, als die beiden Liebenden im Tod vereint werden, löst Wagner alle Spannungen in einem Dur-Akkord auf. Berühmt geworden ist vor allem der sogenannte Tristan-Akkord aus den Tönen f-h-dis-gis, der nicht mehr einer bestimmten Tonart zuzuordnen ist und als ein Schritt hin zur Atonalität verstanden wird. *Tristan und Isolde* konnte sich anfangs nur schwer durchsetzen. Wegen der extremen Anforderungen an die Sänger galt das Werk als nicht aufführbar. Der Tristan-Darsteller der Premiere, der Tenor Ludwig Schnorr von Carolsfeld, starb wenige Wochen nach der Uraufführung im Alter von 29 Jahren, wodurch die Oper sich zusätzlich den Ruf erwarb, »tödlich« zu sein. Erst 1874 war sie – in Weimar – erneut zu sehen.

Schon 1845 hatte Wagner erste Skizzen für *Die Meistersinger von Nürnberg* (UA 1868) verfasst, die er selbst wiederholt als »komische Oper« bezeichnete. Dieses Mal ließ er keine übernatürlichen Kräfte, sondern historisch verbürgte (wie den Dichter Hans Sachs) oder erdachte Personen (wie den missgünstigen Sixtus Beckmesser, in dem er den gefürchteten Kritiker Eduard Hanslick karikierte) aus dem

Nürnberg der Reformationszeit auf der Bühne erscheinen. Den Wettstreit um das beste Lied (und die Hand der schönen Tochter des reichen Goldschmieds) inszenierte er als Konflikt zwischen dogmatischen Traditionalisten und sich über alle Regeln hinwegsetzenden Progressiven, der schließlich durch den weisen Hans Sachs gelöst wird. Musikalisch nahm Wagner mit liedhaften Formen, die er in den von etwa 40 Leitmotiven durchzogenen musikalischen Fluss integrierte, unmittelbar auf seinen Stoff Bezug.

»So starben wir, um ungetrennt […] der Liebe nur zu leben.« Illustration zu Richard Wagners Oper *Tristan und Isolde* (Lithografie von Franz Stassen, 1900)

Richard Wagner
(1813–1883)

Richard Wagner, am 22. Mai 1813 in Dresden geboren, erhielt als Kind seine musikalische Ausbildung unter anderem an der Dresdner Kreuzschule und als Mitglied des Leipziger Thomanerchors. Ab 1833 hatte er verschiedene Kapellmeisterstellen inne, unter anderem in Würzburg, Königsberg und Riga, und floh 1839 hoch verschuldet zunächst nach London, dann nach Paris, wo er seine Opern *Rienzi* und *Der fliegende Holländer* vollendete. Der Erfolg von *Rienzi* bei der Uraufführung in Dresden 1842 hatte zur Folge, dass Wagner dort die Stelle des Hofkapellmeisters erhielt. Seine Beteiligung an den revolutionären Bewegungen 1848/49 zwang ihn abermals zur Flucht, zunächst nach Weimar und schließlich nach Zürich. Dort verfasste er eine Reihe musiktheoretischer Schriften und konzipierte den *Ring des Nibelungen*. 1860 ermöglichte ihm eine Amnestie die Rückkehr nach Deutschland, doch sein Leben blieb unstet. 1864 flüchtete Wagner erneut vor seinen Gläubigern, diesmal nach Wien. Von dort berief ihn König Ludwig II. von Bayern nach München, verwies ihn allerdings, von dessen Persönlichkeit enttäuscht, nach 14 Monaten der Stadt. Die Begeisterung des Monarchen für das Werk des Komponisten blieb davon unbeeinträchtigt. 1866 ließ sich Wagner in Triebschen bei Luzern nieder, wo er zunächst unverheiratet mit Cosima von Bülow, der Frau seines Freundes Hans von Bülow, zusammenlebte. Bei einem Besuch in Bayreuth 1871 beschloss Wagner, die Stadt zu seinem Wohnsitz (ab 1874 in der Villa Wahnfried) und zur Stätte seines lange geplanten Festspielhauses zu machen, das 1876 mit dem ersten vollständigen *Ring*-Zyklus eröffnet wurde. Der Komponist starb am 13. Februar 1883 in Venedig.

Wagners Opus magnum: *Der Ring des Nibelungen*

1876 wurde im Festspielhaus in Bayreuth Richard Wagners Opern-Tetralogie *Der Ring des Nibelungen* erstmals vollständig aufgeführt. Der Komponist hatte seit 1848 an seinem umfassendsten und zugleich umstrittensten Werk gearbeitet, dessen beide erste Teile bereits in München gezeigt worden waren: *Das Rheingold* (»Vorabend«) 1869, *Die Walküre* (»Erster Tag«) 1870. *Siegfried* (»Zweiter Tag«) und *Götterdämmerung* (»Dritter Tag«) erlebten ihre Premiere erst in Bayreuth. Wie bei allen seinen Opern und Musikdramen schrieb Wagner das Libretto für sein Nibelungenepos selbst. In die Jahre der Textniederschrift für den *Ring* (beendet 1853) fallen auch die theoretischen Schriften, in denen Wagner seine Vorstellungen vom »Kunstwerk der Zukunft«, einer Synthese aller Künste, dargelegt hat. Aus seinen Vorlagen – dem *Nibelungenlied*, skandinavischen Sagen und dem Volksmärchen vom gehörnten Siegfried – formte der Komponist ein Drama, in dem sein von den utopischen Sozialisten beeinflusstes politisches Denken zum Ausdruck kommt. Am Schluss des *Rings* kann die Liebe letztlich das verderbliche Streben nach Macht und Besitz überwinden. Dennoch zeigt das Werk eine pessimistische Sicht der Welt, wie Wagner sie 1854 nach der Lektüre von Arthur Schopenhauers *Die Welt als Wille und Vorstellung* offenbarte:

»*Seiner höchsten Absicht nach kann er [Wotan] nur noch gewähren lassen, [...] nirgends aber mehr bestimmt eingreifen [...]. Er gleicht uns aufs Haar; er ist die Summe der Intelligenz der Gegenwart, wogegen Siegfried der von uns gewünschte, gewollte Mensch der Zukunft ist, der aber nicht durch uns gemacht werden kann, und der sich selbst schaffen muss durch unsere Vernichtung.*«

===

Die einzelnen »Tage« des Musikdramas, deren unterschiedliche Entstehungszeit deutlich erkennbar bleibt, werden durch das System der Leitmotive miteinander verkettet. Durch Tonfolgen, die eine bestimmte Idee, aber auch eine Person oder Sache symbolisieren, werden Verbindungen zwischen den gegenwärtigen Geschehnissen und den vergangenen oder zukünftigen Ereignissen hergestellt. Diese Verknüpfungen ermöglichen eine vielschichtige psychologische Ausdeutung der Personen und ihrer Gefühle. Die Leitmotive werden im Instrumentalsatz ebenso wie in den Gesangspartien fortlaufend miteinander verwoben, sodass eine ununterbrochene polyphone Struktur entsteht – eben die »unendliche Melodie«.

Schon lange bevor Wagner 1874 die Komposition seiner Nibelungen-Tetralogie abschloss, hatte er genaue Pläne für deren Aufführung gefasst. So wie der Komponist nach dem Abschluss der *Ring*-Dichtung anmerkte, dass die Musik »der Form nach« in seinem Innern bereits fertig sei, so verknüpfte sich ihm der musikalische Einfall innerlich zugleich mit einer »plastischen«, bildlichen Darstellung. Für diese

Einheit von Wort, Musik und Bild bürgerte sich der Begriff »Gesamtkunstwerk« ein, den Wagner selbst jedoch ablehnte, da er seiner Ansicht nach etwas nachträglich Zusammengesetztes meine. Er plädierte vielmehr für die Bezeichnung »ersichtlich gewordene Taten der Musik«.

Schon 1851 hatte Richard Wagner von seinem Traum gesprochen, für die Aufführung des *Rings* eigens ein Theater errichten zu lassen, doch erst 1872 wurde der Grundstein für das Bayreuther Festspielhaus gelegt. Drei Jahre später wurde der Bau, der von König Ludwig II. – seit seinem Amtsantritt 1864 Wagners Gönner – wesentlich mitfinanziert wurde, vollendet.

In musikalischer Hinsicht hat der *Ring* die weitere Entwicklung weit weniger beeinflusst als *Tristan und Isolde* (1865). Die Idee des Gesamtkunstwerks hat in dieser Form keine Nachahmer gefunden. Richard Strauss bezeichnete Wagner in Bezug auf das Musikdrama als einen ungeheuren Gipfel, über den niemand hinaus könne. Er selbst habe deshalb einen Umweg gewählt – eine Entscheidung, der sich andere Komponisten anschlossen.

Ein Bühnenbildentwurf von Josef Hoffmann für die Uraufführung von *Der Ring des Nibelungen* in Bayreuth am 17. August 1876

INFO

Bayreuther Festspielhaus

Richard Wagner stellte sich für die Aufführung seines
Ring des Nibelungen zunächst einen Holzbau vor, der anschließend wieder abgerissen werden sollte. Dann entschied er
sich aber für eine dauerhaftere, wenn auch weitgehend schmuck-
lose Lösung. Die Stadt Bayreuth stellte ihm dafür kostenlos den Bau-
platz auf dem »Grünen Hügel« zur Verfügung, der Entwurf für den einfachen Bau im Backsteinstil stammte von dem Architekten Otto Brückwald.
Der Zuschauerraum ist als aufsteigendes Amphitheater angelegt, um von
jedem Platz eine gute Sicht auf die Bühne zu ermöglichen. Auf Ränge und
Logen wurde verzichtet. Für einen unverstellten Blick auf das Bühnengeschehen wurde der Orchestergraben so groß und tief angelegt, dass die Zuschauer ihn nicht einsehen können. Zudem erhielt er als Sichtschutz gegen
die dort installierte Beleuchtung der Notenpulte eine Abdeckung. Dieser
»Deckel« hat erhebliche akustische Auswirkungen: Der Klang der Instrumente schallt nicht unmittelbar in den Zuschauerraum, sondern
auf die Bühne, von wo er ins Auditorium reflektiert wird. Auf
diese Weise entsteht trotz des übergroßen Orchesters ein
unverwechselbarer gedämpfter, »mystischer« Misch-
klang, der allerdings wegen der unterschiedlichen Bühnenausstattung Schwankun-
gen unterworfen ist.

Als Wagners Hauptwerk ist *Der Ring des Nibelungen* seit seiner Uraufführung Gegenstand heftiger Kontroversen, sowohl um musikalische und musikdramatische
Fragestellungen als auch in ideologischer und politischer Hinsicht. Zu den Bewunde-
rern, die dem Komponisten den meisten Schaden zugefügt haben, zählt der britische
Kulturphilosoph Houston Stewart Chamberlain, der aus Wagners Werken die These
von der Überlegenheit des Germanentums ableitete, die wiederum die Rassenideo-
logie der Nationalsozialisten stark beeinflusste. Ebenso ließ die Verehrung, die Adolf
Hitler Wagners Musik entgegenbrachte, den Komponisten ins Zwielicht geraten.
Trotz aller Widersprüche zählen Wagners Musikdramen, darunter sein letztes Werk,
das 1882 in Bayreuth uraufgeführte »Bühnenweihfestspiel« *Parsifal*, bis ins 21. Jahrhundert zu den meist beachteten musikalischen Bühnenwerken.

JAHRHUNDERT-WENDE

Deutsche Komponisten in der Wagner-Nachfolge

Die Figur des Merlin aus der Artussage wurde von vielen Komponisten der Jahrhundertwerke in ihren Werken aufgegriffen.

In Deutschland tat sich die Oper lange Zeit schwer, sich aus dem übermächtigen Schatten Richard Wagners zu lösen. Viele sahen in ihm den Höhepunkt und zugleich das Ende der Musikgeschichte, bemühten sich aber gleichwohl, mit an seinem Vorbild orientierten Opern zu reüssieren. Beim Aufbau von Handlungs- und musikalischen Strukturen wurden viele von Wagners Neuerungen übernommen. Einzelne Nummern wurden zu Szenen zusammengefasst, Rezitative erhielten deklamatorischen Charakter, und die Erinnerungsmotive der frühen Romantik wurden zu einem System der Leitmotive ausgebaut. Das Orchester wurde vergrößert und erhob weit über seine Begleitfunktion hinaus sinfonische Ansprüche. Je weiter Industrialisierung und Technisierung voranschritten, desto stärker war die Sehnsucht nach einer Gegenwelt. Stoffe aus Sagen und Legenden hatten Hochkonjunktur, und viele Komponisten wurden wie der Bayreuther Meister zu ihren eigenen Textdichtern. Besonders der Sagenkreis um König Artus und seine ritterliche Tafelrunde, dem Wagner etwa für *Lohengrin* und *Parsifal* bereits Protagonisten entnommen hatte, stieß auf großes Interesse. Cyrill Kistler erwies sich mit Opern wie *Kunihild oder Der Brautritt auf Kynast* (1884) oder dem dreiaktigen »Musikdrama« *Baldurs Tod* (1891) als Epigone seines Freundes Richard Wagner, der ihn einmal als seinen einzig würdigen Nachfolger bezeichnet hatte.

Auch Werke wie *Iwein* (1879) und *Gudrun* (1882) von August Klughardt, *Wieland der Schmied* (1881) von Max Zenger oder mehrere Opern, die die Gestalt des Zauberers Merlin in den Mittelpunkt stellten – unter anderem von Felix Draeseke, Philip Rüfers und Carl Goldmark – lehnten sich eng an Wagner an. August Bungert eiferte mit der Tetralogie *Homerische Welt* (1898–1903), einer musikdramatischen Version der *Odyssee*, Wagners *Ring des Nibelungen* nach; eine fünfteilige Ergänzung des Zyklus mit dem Stoff der *Ilias* blieb im Entwurfsstadium stecken. In keinem dieser Musikdramen gelang es jedoch, den Stoff mit einem Ideengehalt zu füllen

und ihn musikalisch wie dramatisch überzeugend zu gestalten, keines ist heute noch auf den Spielplänen zu finden. Der Wiener Musikkritiker Richard Specht kam 1923 in einem Aufsatz zu einem vernichtenden Urteil:

»Die Wagner-Nachfolge war betrüblich. Aufgedunsene mythologische Leitfäden, von einem Brei glossierender Tonsymbole umflossen. Erlösungsangelegenheiten obskurer Sagenfamilien, indischer, griechischer, germanischer, keltischer, in endlosem Gänsemarsch der Motive in dickleibigen Partiturwälzern aufgereiht, manchmal auch volkstümliche teutsche, voll Minne und Leid unter der Jägerwäsche.«

Den Erlösungsgedanken, der zum Beispiel in Wagners *Parsifal* eine zentrale Rolle spielt, griff Hans Pfitzner (1869–1949) auf. Im Musikdrama *Der arme Heinrich* (1895) nach der mittelhochdeutschen Verserzählung von Hartmann von Aue kann sich der Protagonist selbst erlösen, indem er seine Selbstsucht überwindet und das Mädchen Agnes rettet, das sich für seine Heilung opfern will. Als Pfitzners Hauptwerk gilt die Oper *Palestrina* (1917), die in der Endphase des Trienter Konzils 1568 spielt. Dort wird unter anderem über die zukünftige Gestalt der Kirchenmusik gestritten: Soll man weiter den traditionellen polyphonen Stil pflegen oder sich der neuen, in Florenz aufgekommenen Art des Komponierens zuwenden? Palestrina erhält den Auftrag, eine neue Messe im alten Stil zu schreiben, lehnt aber ab, weil er sich nach dem Tod seiner Frau ausgebrannt fühlt. Da erscheinen ihm in der Dämmerung die großen Komponisten vergangener Zeiten und fordern ihn auf, sein Lebenswerk durch eine Meisterleistung zu krönen und so auch ihre Werke vor dem Vergessen zu bewahren. Ein Engelschor singt ihm Melodielinien der neuen Messe vor, er notiert

Engelbert Humperdincks Märchenoper *Hänsel und Gretel* in einer Aufführung am Opernhaus in Berlin, 1895

sie fieberhaft und wird am Ende als Retter der Kirchenmusik bejubelt. *Palestrina* ist auch eine Art Selbstporträt: Pfitzner sah sich als Bewahrer der klassisch-romantischen Tradition gegenüber der von ihm polemisch bekämpften »Futuristengefahr«, den Entwicklungen der musikalischen Moderne. Eine ausdrückliche Nähe, wenn nicht Adaptionsabsicht, zu Richard Wagners Modell des Gesamtkunstwerks ist unübersehbar. Dichtung und Musik bedingen einander, erlangen eine gleichrangige Wertigkeit von Ideengehalt, Dramaturgie und musikalischer Komposition.

Mit seinem Verweis auf Märchenstoffe als vom Mythos unterschiedene Themen, denen sich die Komponisten der folgenden Generation zuwenden

Ein Szenenbild zu Amilcare Ponchiellis Oper *La Gioconda*, 1876

könnten, stieß Richard Wagner eine weitere Entwicklung in der deutschen Oper an. Viele der seinerzeit entstandenen Märchenopern sind weitgehend in Vergessenheit geraten. Der Österreicher Ludwig Thuille (1861–1907) trug *Lobetanz* (1898) und *Gugeline* (1901) zum Genre bei, von Friedrich Klose (1862–1942) stammt die »Dramatische Sinfonie« *Ilsebill*; er setzte neben einem großen romantischen Orchester die Orgel, sechs Posaunen hinter der Bühne, mehrere Chöre, Glocken und eine Donnermaschine ein, um zu verdeutlichen, wie die Wünsche der Fischersfrau ins Unermessliche wachsen. Alexander Ritter (1833–1896) komponierte die beiden Märcheneinakter *Der faule Hans* (1878) und *Wem die Krone?* (1889/90), und Richards Sohn Siegfried Wagner versuchte sich an dem mythologisch unterfütterten Märchen *Der Bärenhäuter* (1899). Die bekannteste und bis heute ungebrochen populäre Märchenoper der Nach-Wagner-Zeit ist sicherlich *Hänsel und Gretel* (1893) von Engelbert Humperdinck (1854–1921), der das Werk in ironischer Anspielung auf den *Parsifal* ein »Kinderstubenweihfestspiel« nannte. Dem Komponisten gelang dabei das Kunststück, folkloristische Elemente und Volkslieder wie »Brüderchen, komm tanz mit mir« oder »Suse, liebe Suse, was raschelt im Stroh«

in eine durchkomponierte Oper zu integrieren. Das Thema des bekannten »Abendsegens« fungiert als eine Art religiöses Leitmotiv, das zum Beispiel dem »Hexenritt« im Vorspiel zum zweiten Bild entgegensteht.

Der Verismo zeigt das »wahre Leben«

Auch Giuseppe Verdi dominierte die italienische Oper ab Mitte des 19. Jahrhunderts so stark, dass kaum einer seiner Zeitgenossen über die Grenzen Italiens hinaus einen dauerhaften Erfolg erzielen konnte. Eine der wenigen Ausnahmen ist die Oper *La Gioconda* (1876) von Amilcare Ponchielli (1834–1886). Das im Venedig der Renaissance angesiedelte Melodram – das Libretto stammt von Arrigo Boito, mit dem auch Verdi zusammenarbeitete – steht in der Tradition der französischen Grand opéra. Zugleich ist es durch seine im Stil venezianischer Gesänge und Tänze angelegten Chöre, effektvollen Massenszenen und leidenschaftlichen Soloauftritte eine echte Volksoper. Am bekanntesten ist das Ballett »Tanz der Stunden«, das unter anderem in Walt Disneys Film *Fantasia* (1940) Verwendung fand.

Gemma Bellincioni als Santuzza und ihr Ehemann Roberto Stagno als Turiddu in der Uraufführung der Oper *Cavalleria rusticana* von Piero Mascagni, 1890

Mit dem Einakter *Cavalleria rusticana* von Pietro Mascagni (1863–1945) hielt um 1890 der sogenannte Verismo Einzug auf der italienischen Opernbühne. Der Verismo war ursprünglich eine literarische Strömung, die sich als Gegenreaktion zur Romantik manifestierte. Beeinflusst vom französischen Naturalismus eines Émile Zola war das Ziel der Veristen die wahrheitsgetreue, zum Teil sozialkritische Darstellung der Welt ohne idealisierende oder moralisierende Momente. Weitere wesentliche Faktoren waren die Ablehnung des bürgerlichen Lebensstils und die Verherrlichung der sinnlichen Liebe. Bevorzugte Sujets waren »wahre Begebenheiten« dramatisch-leidenschaftlicher Natur aus dem – vermeintlichen – Alltag einfacher Leute und eben nicht die Taten historischer oder mythologischer Helden. Der Schilderung schlichter Milieus entspricht die einfache volkstümliche Melodik des

Verismo. Um dem dramatischen Geschehen gerecht zu werden, griffen die Komponisten aber auch zu drastischen Mitteln wie extremer Dynamik oder zum in dieser Zeit noch unüblichen Einsatz von Geräuschen als Kompositionselement. Verdi stand der Stilrichtung des Verismo skeptisch gegenüber:

»Das Wahre abzuklatschen, mag ja etwas Zweckdienliches sein. Aber das ist Fotografie, kein Gemälde, keine Kunst.«

Cavalleria rusticana basiert auf der gleichnamigen Novelle von Giovanni Verga, auf den die Bezeichnung Verismo zurückgeht. In der dramatisierten Fassung, die Verga für seine Theatertruppe schrieb, erlebte das Stück 1884 mit Eleonora Duse in der Hauptrolle in Turin einen sensationellen Erfolg. Mascagni vertonte die dramatische Handlung um den jungen Turiddu, der von der schönen Lola umgarnt und von deren eifersüchtigem Ehemann erschlagen wird, mit einer für die Oper ungewöhnlichen Dialogstruktur: Wie im wirklichen Leben fallen sich die Figuren gegenseitig ins Wort oder werden durch äußere Ereignisse abgelenkt. Der Schauplatz Sizilien bietet Gelegenheit zur Aufführung von Volksszenen mit viel Lokalkolorit, etwa in dem Trinklied »Viva il vino spumeggiante«. Mascagni bringt den Realismus auch durch Extreme zum Ausdruck: In der Mordszene folgt auf ein vierfaches Forte während des Kampfes ein vierfaches Piano, indem Kontrabässe und Pauken »wie ein Murmeln« einsetzen und allmählich anschwellen – so wie das Murmeln der entsetzten Volksmenge immer lauter wird. Die Rufe einer Frau, die Turiddus Tod verkündet, sind in der Partitur nur als Rhythmus und nicht in Tonhöhen notiert. Das Intermezzo sinfonico, das in der Oper den Osterfrieden symbolisiert, erklingt häufig auch als Konzertstück.

Der Einakter mit einer Aufführungsdauer von 70 Minuten wird für eine abendfüllende Vorstellung oft mit der Darbietung eines anderen Werkes des Verismo, *Il Pagliacci* (*Der Bajazzo*, 1892) von Ruggiero Leoncavallo (1857–1919), kombiniert. In dem von ihm selbst verfassten Libretto schildert der Komponist das Eifersuchtsdrama zwischen Canio, dem Prinzipal einer wandernden Schauspieltruppe, und seiner jungen Frau Nedda, das sich gleichzeitig im realen Leben und im Zusammenspiel der Figuren Bajazzo und Colombina in der Theateraufführung vollzieht und mit einem Mord auf offener Bühne endet. Leoncavallo lässt auch musikalisch zwei Welten aufeinanderprallen. Das Werk pendelt zwischen klar gegliederter Nummernoper und durchkomponiertem Musikdrama; streng stilisierte historische Tanzformen stehen einer leidenschaftlichen Tonsprache mit stellenweise dramatischem Sprechgesang gegenüber. Die leitmotivische Behandlung einiger Themen lässt den Einfluss Richard Wagners erkennen. Besonders bekannt ist die trauervolle Arie des Titelhelden am Ende des ersten Akts »Vesti La Giubba. Ridi, Pagliaccio«. Leoncavallos zweite Erfolgsoper *La Bohème* (1897) steht heute im Schatten der gleichnamigen Bearbeitung des Stoffes durch Giacomo Puccini.

Plakat zu Gustave Charpentiers Oper *Louise*, die 1900 in Paris uraufgeführt wurde

Mitten hinein in Not und Verderben führt der Komponist Umberto Giordano (1867–1948) mit seiner veristischen Oper *Mala vita*, die in einem Elendsviertel von Neapel spielt. Dort gelobt der an Tuberkulose leidende Färber Vito, er werde der Prostituierten Cristina zu einem besseren Leben verhelfen, um von seiner Krankheit geheilt zu werden. Doch seine Geliebte Amalia macht ihm einen Strich durch die Rechnung; Amalias Ehemann Annetiello tröstet sich derweil mit Alkohol. Die Uraufführung in Rom löste 1892 einen Skandal aus; Giordano arbeitete die Oper um und brachte sie 1897 unter dem Titel *Il Volo* in Venedig erneut heraus. Ein Kritiker urteilte: »Jetzt schmerzt nichts mehr, das ist wahr, aber gleichzeitig weckt nichts mehr Interesse oder Mitgefühl.« *Mala vita* ist heute nur noch selten auf der Bühne zu sehen, im Gegensatz zu Giordanos bekanntestem Werk, dem Revolutionsdrama *Andrea Chénier* (1896) nach dem Libretto von Luigi Illica, der später mehrfach mit Puccini zusammenarbeitete. Der Titelheld, ein bedeutender französischer Lyriker des 18. Jahrhunderts, war ursprünglich ein glühender Befürworter der Französischen Revolution, wandte sich später aber gegen deren Auswüchse, insbesondere gegen die Willkürherrschaft der Jakobiner. 1794 endete sein Leben unter der Guillotine. Die Oper stützt sich zwar auf wesentliche Fakten von Chéniers Biografie, schmückt diese aber nach freien Stücken aus, um Künstlermilieu und natürlich eine Liebesgeschichte zu integrieren. Giordanos Komposition unterstützt die »realistische« Darstellung nach Kräften, etwa indem er Lieder aus der Revolutionszeit zitiert, mit dem Rückgriff auf Musik des 18. Jahrhunderts das Ancien Régime wiederaufleben lässt und lärmend instrumentierte Volksszenen einbringt. Dank des Hollywoodfilms *Philadelphia* (1993) wurde die Arie der Maddalena »La mamma morta« (interpretiert von Maria Callas) zum wohl bekanntesten Stück der Oper. Zu den veristischen Opern, die heute noch gespielt werden, zählen außerdem *Adriana Lecouvreur* von Francesco Cilèa (1866–1950), die 1902 in Mailand Premiere feierte, sowie *Francesca da Rimini* von Riccardo Zandonai (1883–1944). Sie erlebte ihre Uraufführung 1914 im Teatro Regio in Turin.

Die legendäre Schau-
spielerin Eleonora Duse
spielte 1884 die Haupt-
rolle in der Theaterauf-
führung von *Cavalleria
rusticana* und verhalf der
Inszenierung zu einem
großen Erfolg.

Giacomo Puccini

Puccini, geboren am 22. Dezember 1858 in Lucca, stammte aus einer Familie von Kirchenmusikern. Auch für ihn selbst war eine solche Laufbahn vorgesehen. Unter dem Eindruck einer *Aida*-Aufführung, die er als 17-Jähriger in Pisa sah, entschloss er sich jedoch, Opern zu komponieren. Mit Unterstützung eines Großonkels und eines Begabtenstipendiums nahm er ein Studium am Mailänder Konservatorium auf und lernte dort auch jene Lebensweise kennen, die er später in seiner *Bohème* darstellte. Schon seine dritte Oper, *Manon Lescaut*, verhalf Puccini zu internationalem Ruhm und finanzieller Unabhängigkeit. Er ließ sich auf einem Landgut in der Toscana nieder, widmete sich seinen Kompositionen und präsentierte sich der Öffentlichkeit bei seinen seltenen Auftritten als eleganter Mann von Welt. Doch hatte der Komponist auch etliche Schicksalsschläge zu verkraften. 1903 kam er bei einem Autounfall fast ums Leben, 1906 starb sein Librettist Giuseppe Giacosa, 1912 auch sein Verleger und Förderer Giulio Ricordi. Seine 1904 nach fast 20 Jahren des Zusammenlebens geschlossene Ehe mit Elvira Gemignani wurde durch Untreue und Eifersucht erschüttert. Politischen Fragen gegenüber blieb Puccini indifferent, auch während des Ersten Weltkriegs; dieses Desinteresse soll dazu geführt haben, dass seine enge Freundschaft mit dem Dirigenten Arturo Toscanini empfindlichen Schaden nahm. Puccini, passionierter Kettenraucher, starb am 29. November 1924 in einer Brüsseler Klinik an Kehlkopfkrebs.

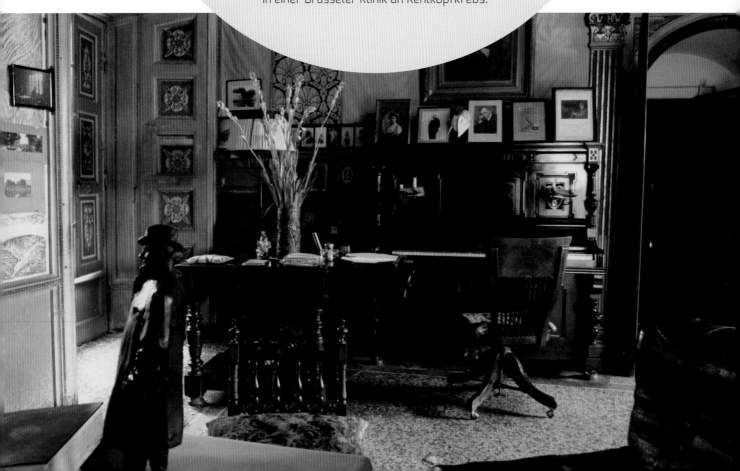

Blick in das Arbeitszimmer des Komponisten in der Villa Puccini in Torre del Lago (Provinz Lucca)

Auch außerhalb Italiens entstanden Opern, die sich in ihrem realistischen Blick auf den Alltag und in ihrer musikalischen Gestaltung an den Verismo annäherten. Der Franzose Gustave Charpentier (1860–1956) landete 1900 mit *Louise*, die auf dem Pariser Montmartre einerseits in einem einfachen Arbeiterhaushalt, andererseits im Milieu der Bohemiens spielt, zu seiner Zeit einen Welterfolg. Eugen d'Albert (1864–1932) lieferte mit seiner meistgespielten Oper *Tiefland* (1903) einen deutschen Beitrag zum Genre. Veristische Elemente enthält auch *Der Evangelimann* (1895) des Österreichers Wilhelm Kienzl (1857–1941), der sein Werk als »ernste bürgerliche Oper« verstanden wissen wollte. Er schildert das Drama zweier Brüder, die sich in dieselbe Frau verlieben. Der Unterlegene legt aus Wut Feuer, der andere wird der Tat beschuldigt und wandert dafür ins Gefängnis. 30 Jahre später zieht der ehemalige Sträfling als Laienprediger umher; ein Zufall bringt ihn mit dem Bruder zusammen, der im Sterben liegt, und beide versöhnen sich. Heute erscheint die bis in die 1950er-Jahre sehr populäre Oper nur noch selten auf dem Spielplan, verselbstständigt hat sich die Tenor-Arie »Selig sind, die Verfolgung leiden«.

Giacomo Puccini, erfolgreicher Nachfolger Giuseppe Verdis

Der bedeutendste italienische Komponist der Nach-Verdi-Zeit, Giacomo Puccini (1858–1924), begann sein Opernschaffen in der Tradition der Schauerromantik. *Le Villi* (*Die Willis*, 1884) zeigt das Schicksal des jungen Roberto, der seine Verlobte im Stich lässt und ihr damit das Herz bricht. Die Willis, die Geister verstorbener Frauen, denen Ähnliches widerfahren ist wie der Verstoßenen, nehmen Rache, indem sie Roberto in einen rasenden Tanz verwickeln, bis er tot zusammenbricht. Schon in dieser ersten Oper gestaltete Puccini seine Hauptpersonen – die opferbereite, hingebungsvolle Frau und den wankelmütigen Mann – so wie in den meisten seiner späteren Werke. Nach dem Misserfolg von *Edgar* (1889) gelang Puccini mit *Manon Lescaut* (1893) nach dem gleichnamigen Roman des Franzosen Abbé Prévost von 1731 der internationale Durchbruch. Keine zehn Jahre zuvor hatte Jules Massenet den Stoff unter dem Titel *Manon* (1884) erfolgreich auf die Opernbühne gebracht, doch diese Tatsache schob Puccini mit der Bemerkung beiseite, Massenet habe die Geschichte als Franzose, mit Puder und Menuett, umgesetzt, er als Italiener tue das mit verzweifelter Leidenschaft. Sechs Librettisten beschäftigte er, um der Oper die entsprechende Textgrundlage zu geben. Musikalisch orientierte sich Puccini in *Manon Lescaut* an der französischen Opéra lyrique, mit seiner lebensnahen Darstellung seiner Hauptfigur näherte er sich dem Verismo an.

Dies gilt in noch größerem Maße für seine folgende Oper *La Bohème* (1896), die einerseits in der Tradition des Verismo steht, diese Stilrichtung aber bereits überwindet. Veristisch ist das Sujet: die Liebesgeschichte im armen, aber lebensvollen Künstlermilieu. In ihrer raffinierten musikalischen Gestaltung hebt sich die Oper aber von den eher schlichten Prototypen der Stilrichtung ab.

Plakat von Adolf Hohenstein für eine Aufführung der Oper *La Bohème* von Giacomo Puccini

Ähnlich wie sein Vorbild Verdi ging Puccini bei seinen Kompositionen von der szenischen Konzeption aus: »Die Grundlage einer Oper sind ihr Stoff und seine dramatische Gestaltung.« Dennoch sind die Werke der beiden Komponisten sehr verschieden. Puccini bevorzugt im Gegensatz zu Verdi einfache, leicht verständliche Handlungsabläufe, die sich zwischen leidenschaftlicher Liebe einerseits sowie Verzweiflung und Tod andererseits bewegen. Dabei wiegt die psychologische Ausdeutung der Personen weit stärker als der »Schöngesang«, der die italienische Oper in der ersten Hälfte des 19. Jahrhunderts geprägt hatte. Den Verlauf der Handlung unterbrechen zuweilen lyrische Szenen. Als Ruhepunkte im dramatischen Geschehen geben sie Raum für detailliertere musikalische Milieuschilderungen und für eine naturalistische Darstellung der Atmosphäre.

Für *La Bohème* arbeitete der Komponist erstmals mit den Librettisten Giuseppe Giacosa und Luigi Illica zusammen. Die Kooperation der drei Künstler, vom Musikverleger Giulio Ricordi als »heilige Dreieinigkeit« benannt, bewährte sich auch bei *Tosca* (1900) und bei *Madama Butterfly* (1904). Puccini hatte an der Gestaltung der Texte großen Anteil und beschwor dadurch Meinungsverschiedenheiten mit den Librettisten herauf. Insbesondere bei der Arbeit an *Madama Butterfly* entstand ein heftiger Streit um die Anzahl der Akte, in dem sich der Komponist zunächst durchsetzte, um schließlich nach dem eklatanten Misserfolg der Uraufführung nachgeben zu müssen. Erst in der überarbeiteten dreiaktigen Fassung wurde das Werk zu Puccinis wohl populärster Oper.

Wenn er auch keine grundlegend neuen Wege beschritt, zeigte sich Puccini in seinem musikalischen Stil doch offen für vielfältige Einflüsse, die er geschickt zu einer Einheit zusammenfügte. Von Richard Wagner übernahm er die Leitmotivik, die bei ihm allerdings keinen strukturellen Charakter erhielt, und auch die farbenreiche

Instrumentierung erinnert an Wagner. In der Harmonik zeigt sich unter anderem in der Verwendung von leeren Quinten, Ganztonleitern und alterierten Akkorden der Einfluss des französischen Impressionisten Claude Debussy. Mit ihm teilte Puccini auch die Vorliebe für fernöstliche Klänge, die in *Madama Butterfly* und *Turandot* (1926) zum Tragen kommen. In seiner Puccini-Biografie von 2002 gelangt der englische Musikwissenschaftler Julian Budden zu folgendem Fazit:

»Kein Komponist kommuniziert direkter mit dem Publikum als Puccini. Tatsächlich ist er seit vielen Jahren ein Opfer seiner eigenen Popularität; daher der Widerstand gegen seine Musik in akademischen Kreisen. Es sei jedoch daran erinnert, dass Verdis Melodien einst als Drehorgel-Futter abgetan wurden. Die Wahrheit ist, dass Musik, die das Publikum unmittelbar anspricht, zum Gegenstand schlechter Imitationen wird, die einen dunklen Schatten auf das Original werfen können. So lange nachgeahmte Melodien à la Puccini die Welt der sentimentalen Operette beherrschten, fiel es vielen schwer, sich mit dem Original auseinanderzusetzen. Nun, da sich die gängige Münze der leichten Muse verändert hat, wird der von Schönberg, Ravel und Strawinsky bewunderte Komponist in seiner ganzen Bedeutung wahrgenommen.«

Auf neue Wege, ja auf einen neuen Kontinent wagte sich Puccini mit seiner Oper *La fanciulla del West* (*Das Mädchen aus dem Goldenen Westen*), deren Premiere 1910 mit Arturo Toscanini am Dirigentenpult und Enrico Caruso als Ramerrez in New York zum Gesellschaftsereignis wurde und dem Komponisten einen triumphalen Erfolg bescherte. Diese im Wilden Westen angesiedelte Liebesgeschichte geht ausnahmsweise gut aus. Der Schauplatz regte Puccini dazu an, Jazzelemente sowie Anklänge an die Musik der indianischen Ureinwohner in seinen Personalstil einfließen zu lassen. Ebenfalls in New York, am 14. Dezember 1918, erlebte das *Trittico* (Tryptichon), bestehend aus den drei Einaktern *Il tabarro* (*Der Mantel*), *Suor Angelica* (*Schwester Angelika*) und *Gianni Schicchi*, seine Uraufführung. Unvollendet blieb Puccinis letzte Oper *Turandot*, aus der das berühmte »Nessun dorma!« stammt. In der von Franco Alfani vervollständigten Fassung wurde sie 1926 in Mailand uraufgeführt.

Impressionistische Opernwerke

Der Franzose Claude Debussy (1862–1918) war ein Bewunderer Richard Wagners, suchte aber nach eigenen Formen des Ausdrucks. Anregungen fand er in einem Kreis von Malern und Literaten um den Dichter Stéphane Mallarmé, dem er als einziger

Musiker angehörte. 1892 lernte er die Dichtung *Pelléas et Mélisande* von Maurice Maeterlinck, einem Hauptvertreter des literarischen Symbolismus, kennen und beschloss, die tragische Liebesgeschichte in Musik umzusetzen. Von 1895 bis 1902 arbeitete er an diesem einzigen Opernprojekt, das er tatsächlich abschloss. Die Prinzipien des zu dieser Zeit aktuellen Impressionismus in der bildenden Kunst – die Darstellung der Wirklichkeit durch die Wiedergabe von Sinneseindrücken – versuchte er auf die Musik anzuwenden. Seine Konzeption erläuterte er mit den Worten:

»Ich stelle mir eine andere dramatische Form vor, in der die Musik dort beginnt, wo die Ausdrucksfähigkeit der Sprache aufhört; Musik wird für das Unausdrückbare geschaffen; ich möchte, dass sie wie aus einem Schatten hervortritt, in den sie von Zeit zu Zeit zurückkehrt; sie sollte immer ein diskretes Element bleiben.«

Um Eindrücke in Klänge umsetzen zu können, gab Debussy zunehmend alte Formen und Kompositionsprinzipien auf. Seine wichtigste Neuerung ist der Verzicht auf die tonale Funktionsharmonik, vielmehr ordnete er die Akkorde nach ihren Klangfarben. Damit war ein wichtiger Schritt hin zur gänzlichen Auflösung der Dur-Moll-Tonalität getan, wie sie sich im 20. Jahrhundert vollzog. In *Pelléas et Mélisande*, uraufgeführt 1902 in Paris, zeigen sich die neuen musikalischen Mittel am sinnfälligsten

in der Harmonik, die den Eindruck einer schwebenden Farbigkeit hervorruft. Die
Singstimmen werden in einem Parlando geführt, das ganz aus dem Sprachduktus
des Französischen entwickelt ist. Das Orchester dient nicht der Begleitung, sondern
fügt dem Gesagten eine weitere Ebene hinzu; es macht das hörbar, was der Text nicht
ausspricht. Das Drama, das mit der Ermordung des Pelléas durch seinen eifersüch-
tigen Stiefbruder und dem Tod Mélisandes im Kindbett endet, vollzieht sich als un-
terschwelliger seelischer Prozess, was dem Werk den Vorwurf der »Undramatik«
eintrug. Debussys Musikdrama gilt als erste Literaturoper: Bis dahin fußten Opern
auf literarischen Stoffen, die zu einem eigenständigen Libretto umgearbeitet wurden.
Debussy nutzte dagegen ein vorliegendes Schauspiel als Textbuch, das für die musikalische Umsetzung lediglich gekürzt wurde.

Auch Paul Dukas (1865–1935) komponierte seine einzige Oper *Ariane et Barbe-
Bleue* (*Blaubart*, 1907) auf der Grundlage einer Dichtung Maeterlincks. Die Sage
vom frauenmordenden Ritter Blaubart wird in dieser Fassung zu einem Stück über
menschliche Freiheit, die Selbstbestimmung verheißt, aber zugleich ein Wagnis

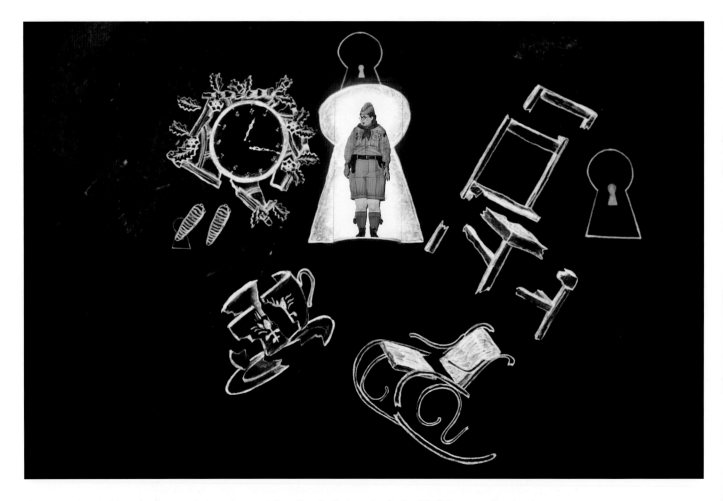

bedeutet. Ariane kann sich selbst befreien, doch die fünf Frauen, die sie eingeschlossen im Kerker vorfindet, wollen kein Risiko eingehen und verharren in der Sklaverei. Dukas' Partitur setzt den Kontrast von Licht und Finsternis – in der Vorstellung der Symbolisten ist dies der Gegensatz zwischen Frau und Mann – wirkungsvoll in Musik um. Ihm gelingt eine im Orchester sensibel nuancierte Darstellung von Charakteren und Stimmungen. Maurice Ravel (1875–1937), der neben Debussy als bedeutendster Vertreter des musikalischen Impressionismus gilt, trat zuerst mit dem Einakter *L'heure espagnole* (*Die spanische Stunde*, 1911) als Opernkomponist in Erscheinung. Als Libretto diente ihm der – gekürzte – Text der gleichnamigen Komödie von Franc-Nohain, die 1904 in Paris einen großen Erfolg erzielt hatte. Die turbulente Geschichte um einen Uhrmacher, dessen Frau sich gleich zwei Liebhaber hält und sich dann auch noch in den bärenstarken Mauleseltreiber Ramiro verguckt, setzte Ravel in von spanischen Einflüssen geprägte Musik um.

Die Gesangspartien sind wie bei Debussy in einem eleganten Parlando gehalten, lediglich der jugendliche Dichter Gonzalve ergeht sich, seinem Charakter entsprechend, in Serenaden und Kavatinen, schlichten Arien. In seiner »lyrischen Fantasie« *L'Enfant et les sortilèges* (*Das Kind und der Zauberspuk*, 1925) zeigt uns Ravel ein Kind, das aus Zorn über den verhängten Stubenarrest unter den Gegenständen im Zimmer wütet. Diese setzen sich zur Wehr, und die ganze Geschichte geht nur deshalb gut aus, weil das Kind schließlich ein verletztes Eichhörnchen versorgt und damit Tiere und Gegenstände versöhnt. Der Komponist spielt mit verschiedenen musikalischen Stilrichtungen vom Belcanto bis zum Ragtime und diversen Tanzformen, um das Geschehen zu illustrieren. Kunstvoll zeichnet er aus der Perspektive des Kindes nach, wie sich die Idylle zum Schreckensbild auswächst.

Die »alte« Metropolitan Opera, hier auf einer Fotografie aus dem Jahr 1905, wurde im Oktober 1883 eingeweiht.

Metropolitan Opera
New York

INFO

Eine eigene Operntradition entwickelte sich in den USA erst im 20. Jahrhundert; schon im 19. Jahrhundert etablierte sich aber ein System mobiler Operntruppen, die, von einem selbstständigen Impresario geleitet, in wechselnden Häusern auftraten. Von diesen konnte sich zunächst keines als dauerhafte Musiktheaterbühne halten. In New York, das mit dem enormen Zuwachs an Einwohnern in der ersten Hälfte des 19. Jahrhunderts auch einen erheblichen Aufschwung des Musiklebens erfuhr, änderte sich dies 1883 mit der Einweihung des Metropolitan Opera House zwischen Broadway und 7th Avenue. Der von außen schlichte, innen jedoch prunkvoll ausgestattete Bau mit Platz für 3 045 Zuschauer nahm mit drei Logenrängen besonders auf die gängige Praxis Rücksicht, dass alle bedeutenderen Familien der Stadt sich eine eigene Loge leisteten. Das Unternehmen wurde zunächst als Aktiengesellschaft mit der Hoffnung auf Profit betrieben – mit der Folge, dass das Programm in den ersten Jahren oft einseitig ausfiel. So wurden anfangs in mehreren aufeinanderfolgenden Spielzeiten nur deutsche Opern gezeigt, zum einen, um den Wünschen der Aktionäre zu entsprechen, zum anderen, weil deutsche Sänger billiger zu haben waren als italienische. Um die Jahrhundertwende erlebte die »Met« ihr »Goldenes Zeitalter«, in dem nicht nur alle berühmten Sänger der Zeit, sondern auch Dirigenten wie Gustav Mahler (1908–1910) und Arturo Toscanini (1908–1915) verpflichtet werden konnten. Seit 1966 hat New York im Lincoln Center eine neue Met, wiederum in der traditionellen Hufeisenform mit fünf Rängen. Das alte Opernhaus wurde abgerissen.

NEUE WEGE IM 20. JAHRHUNDERT

Auf der Suche nach zeitgemäßen Ausdrucksformen

Die Anfangsjahre des 20. Jahrhunderts waren von Endzeit- wie von Aufbruchstimmung geprägt. Die Industrialisierung und die Gewerbefreiheit hatten im 19. Jahrhundert nicht nur die wirtschaftlichen Strukturen grundlegend verändert, sondern auch das gesellschaftliche Gefüge durcheinandergewirbelt. Die Lebenswelt vieler Menschen war nun vom Gesetz des Marktes und der Anonymität der Großstadt beherrscht, die Grundwerte des sozialen Lebens erschienen gefährdet. Technische Entwicklungen und naturwissenschaftliche Entdeckungen lösten zugleich Euphorie und Zukunftsangst aus. Die Kirche büßte erheblich an Einfluss ein, und der wachsende Nationalismus in vielen europäischen Staaten mündete in Aufrüstung und Militarisierung. In dieser Zeit der Verunsicherung suchte die Musik nach neuen Ausdrucksformen, wobei sich der Erneuerungswille nach und nach auf alle Parameter, auf Harmonik, Melodik, Rhythmik, Dynamik, Form, Orchestrierung usw.

Leoš Janáčeks *Katja Kabanova* steht bis heute auf den Spielplänen der Opernhäuser (Aufführung der Wiener Staatsoper, 2011).

bezog. Waren bis dahin musikgeschichtliche Epochen durch einen relativ einheitlichen Stil gekennzeichnet gewesen, so entstand nun eine Vielzahl von Stilrichtungen, die mehr oder weniger stark mit der Tradition brachen.

Besonders im östlichen Europa nutzten Komponisten die Folklore, um neue Klangräume zu erschließen. In einer Zeit des erwachenden Nationalgefühls der Ethnien ohne staatliche Eigenständigkeit diente die Volkskultur auch als ein Vehikel, um sich dem Einfluss der deutsch-österreichischen Dominanz zu entziehen. Der tschechische Komponist Leoš Janáček (1854–1928) erforschte intensiv die Volksmusik Mährens und Schlesiens und ließ ihre rhythmischen und harmonischen Besonderheiten in seine eigene Klangsprache einfließen. Zur Bedeutung der Folklore merkte er an:

»Im Volkslied ist der ganze Mensch enthalten, der Leib, die Seele, die Umgebung, alles, alles. Wer aus dem Volkslied herauswächst, wird ein ganzer Mensch. Das Volkslied besitzt den Geist eines reinen Menschen mit seiner gottnahen Kultur, aber nichts Sekundäres, Angeflogenes. Deshalb glaube ich, dass wir, sobald sich unsere Kunstmusik aus dieser volkshaften Quelle herleitet, uns dann alle in den Schöpfungen jener Musik verbrüdern werden; sie wird eine Gemeinschaft erzeugen und alle Menschen vereinen.«

Darüber hinaus beschäftigte er sich mit der »Melodie des gesprochenen Wortes«: Dafür notierte er Rhythmus und ungefähre Tonhöhe von Alltagsphrasen, die ihm zufällig zu Ohren kamen, oft ergänzt um Angaben zu den äußeren Umständen, und unterlegte diese Sprachmelodien den Gesangs- und Deklamationslinien seiner Bühnenfiguren. In der Oper *Jenufa*, die in den Jahren 1894 bis 1903 entstand und die Janáček nach der Uraufführung 1904 mehrfach umarbeitete, ist der Entwicklungsprozess dieses Verfahrens noch spürbar. Ausgereift zeigt es sich in späteren Opern wie *Katja Kabanova* (1921), *Das schlaue Füchslein* (1924) und *Die Sache Makropoulos* (1926). Dass Komposition und tschechischer Text zu einer untrennbaren Einheit verschmelzen, erschwert die Übertragung in andere Sprachen – allerdings wurden die Opern in Übersetzungen auch international bekannt. Heute werden sie in aller Regel im Original gezeigt. Janáčeks letzte Oper, *Aus einem Totenhaus* nach dem Roman von Fjodor M. Dostojewski, erlebte ihre Uraufführung gut anderthalb Jahre nach dem Tod des Komponisten; es ist ein düsteres Werk ohne durchgehende Handlung. Vorgeführt werden Szenen aus einem russischen Straflager des 19. Jahrhunderts. Im Mittelpunkt stehen jeweils einzelne Gefangene, die schwere Schuld auf sich geladen haben, nun aber unter den menschenunwürdigen Bedingungen der Haft leiden. Nach Janáčeks Tod hielt man seine Oper zunächst für unvollendet; deshalb wurde dem Werk ein optimistischer Schluss angefügt. Heute wird üblicherweise die später entdeckte Originalfassung gespielt, die 1961 konzertant erklang und 1974 erstmals szenisch zu sehen war.

Auch die Ungarn Béla Bartók (1881–1945) und Zoltán Kodály (1882–1967) betrieben systematische Volksmusikstudien und integrierten die Folklore in ihr Opernschaffen – nicht als atmosphärische Farbe, sondern als konkretes Material. Bartóks Fassung der Blaubartsage, *Herzog Blaubarts Burg*, war 1911 fertiggestellt, wurde aber erst 1918 uraufgeführt. Abgesehen von stummen Rollen handelt es sich um ein Zweipersonenstück, in dem erstmals ein typisch ungarisches Gesangsmelos vorherrscht. Blaubart öffnet seiner Braut Judith auf deren Wunsch hin sieben Türen, die nacheinander Einblick in sein Wesen und seine grausamen Taten geben. Am Ende ergibt sich Judith in ihr Schicksal: Wie Blaubarts frühere Frauen muss sie sterben. Bartók schuf eine hochkomplexe Partitur, in der jeder Tür ein bestimmter Klang zugeordnet ist. Eine Art Münchhausen-Story erzählt Kodály in seiner Oper *Háry János* (1926): Der Veteran Háry sitzt in der Dorfkneipe und berichtet von seinen angeblichen Abenteuern. Demnach hat er quasi im Alleingang die französische Armee besiegt und wäre beinahe mit Napoleons Frau durchgebrannt – wenn er nur gewollt hätte.

Starken Symbolgehalt hat – wie Bartóks *Blaubart* – die Oper *Król Roger* (*König Roger*, 1926) des Polen Karol Szymanowski (1882–1937). Vor der Kulisse Siziliens im 12. Jahrhundert zur Zeit des Normannenkönigs Roger II. schildert er den Kampf zwischen christlicher Kirche und Heidentum, der zugleich ein Konflikt zwischen Intellekt und Rausch ist. Die beiden Welten, die dabei aufeinanderprallen, sind auch musikalisch deutlich voneinander geschieden, hier der Rückgriff auf das Idiom orthodoxer Kirchenmusik, dort ein farbenreiches ekstatisches Klangbild mit Anleihen bei Impressionismus, Spätromantik und der Musik des arabischen Kulturkreises, der sich der Komponist stark verbunden fühlte.

Béla Bartók widmete sich intensiv der Volksmusik seiner ungarischen Heimat.

Richard Strauss, Erneuerer und Traditionalist

Richard Strauss (1864–1949) begann sein Schaffen als Opernkomponist noch ganz im übergroßen Schatten Richard Wagners. Das 1894 uraufgeführte Musikdrama *Guntram*, zu dem der Komponist selbst das Libretto schrieb, spielt im Milieu der mittelalterlichen Ritter und Minnesänger; das folgende »Singgedicht« *Feuersnot* (1901) beruht auf einer Märchenvorlage, ist im Subtext aber eine auf Strauss' Heimatstadt München gemünzte ironische Fabel auf die Doppelmoral. Am sächsischen Königshof, dessen Opernhaus der Komponist zu dieser Zeit leitete, löste das Werk so großes Missfallen aus, dass seine Absetzung vom Spielplan angeordnet wurde. Die Überwindung des Wagnerschen Musikdramas gelang Strauss nach eigener Einschätzung mit der 1905 in Dresden uraufgeführten *Salome;* das Libretto verfasste er selbst auf der Basis von Oscar Wildes gleichnamigem Bühnenstück von 1891. Salome betört ihren Stiefvater, den biblischen König Herodes, mit dem Tanz der sieben Schleier und verlangt dafür das Haupt des Propheten Jochanaan (Johannes der Täufer) auf einer Silberschüssel. Diesen hat sie zuvor vergeblich zu verführen versucht. Nach seiner Hinrichtung küsst sie in gieriger Erregung seinen Mund. Voller Abscheu befiehlt Herodes, Salome zu töten. Strauss verdichtete das Geschehen auf einen Akt von etwa 100 Minuten Dauer und stellte die Musik ganz in den Dienst der psychologischen Ausdeutung seiner Figuren. Dafür verwendete er auch ein System von Leitmotiven. Rückblickend erläuterte der Komponist:

»Der Wunsch nach schärfster Personencharakteristik brachte mich auf die Bitonalität, da mir für die Gegensätze Herodes – Nazarener eine bloß rhythmische Charakterisierung, wie sie Mozart in genialster Weise anwendet, nicht stark genug erschien. Man kann es als ein einmaliges Experiment an einem besonderen Stoff gelten lassen, aber zur Nachahmung nicht empfehlen.«

Diese Bitonalität, das gleichzeitige Erklingen zweier Tonarten, bringt Dissonanzen hervor, die nicht mehr nach den Regeln der traditionellen Harmonielehre aufgelöst werden können. Was Strauss als einmaliges Experiment wertete, erwies sich allerdings schon bald als zukunftsträchtige Neuerung, die ihn aus Sicht des Publikums fürs Erste zum Vorkämpfer der »Ultramodernen« machte. Um diese Harmonik zur Geltung zu bringen, setzte der Komponist ein großes und hoch differenziertes Orchester mit vielfach und immer wieder anders geteilten Streichern, verstärkten Bläsergruppen, umfangreichem Schlagwerk einschließlich Xylophon und ungewöhnlichen Instrumenten wie dem Heckelphon (einer gerade erst entwickelten Oboe in Baritonlage) ein. Mit der so erreichten Vielfalt an Orchesterfarben, so erläuterte er, könne er »sich in Gebiete vorwagen, die nur der Musik zu erschließen vergönnt war«. *Salome* wurde schnell zu einem Sensationserfolg, schon drei

Wochen nach der Uraufführung hatten zehn Theater ihr Interesse an einer Übernahme bekundet. Vorbehalte gab es weniger gegen die neuartige Komposition als gegen das »unsittliche« Sujet.

Seinen Ruf als radikaler Neuerer festigte Strauss 1909 mit der ebenfalls einaktigen Oper *Elektra*. Hierbei arbeitete er erstmals mit dem Dramatiker Hugo von Hofmannsthal (1874–1929) zusammen, auf dessen Neufassung der gleichnamigen Tragödie von Sophokles die Oper beruht. Demgegenüber wirkte der volkstümliche *Rosenkavalier* (1911) in gewisser Weise restaurativ. Eine »Mozart-Oper« werde

Richard Strauss

INFO

Richard Strauss, geboren am 11. Juni 1864 in München, entstammte einer musikalischen Familie. Schon als Kind begann er zu komponieren, und nachdem er zunächst ein Studium der Philosophie, Ästhetik und Kunstgeschichte begonnen hatte, gewann bald die Musik die Oberhand: 1884 lernte er in Berlin den Dirigenten Hans von Bülow kennen, der ihn nicht nur mit dem Werk Richard Wagners vertraut machte, sondern ihm auch eine Stelle als Leiter der Meininger Hofkapelle verschaffte. Von 1886 bis 1889 war Strauss dritter Kapellmeister an der Münchner Oper, danach Hofkapellmeister in Weimar. 1894 dirigierte er erstmals bei den Bayreuther Festspielen, später wurde er erster Kapellmeister an der Münchner Oper und schließlich 1909 Generalmusikdirektor der Berliner Hofkapelle. In diesen Jahren entstanden seine bekanntesten sinfonischen Dichtungen, darunter *Till Eulenspiegels lustige Streiche* (1895), *Also sprach Zarathustra* (1896) und *Sinfonia domestica* (1904). Darüber hinaus engagierte er sich mit der Gründung der Genossenschaft Deutscher Tonsetzer (1903) für die Rechte der Komponisten. Mit dem 1905 in Dresden uraufgeführten Einakter *Salome* gelang Strauss der Durchbruch als Opernkomponist. Nach der Machtübernahme der Nationalsozialisten wurde er 1933 Präsident der Reichsmusikkammer, trat aber zwei Jahre später zurück, nachdem er wegen seines Einsatzes für missliebige Künstler in Konflikt mit den Machthabern geraten war. Bis Kriegsende entstanden fünf weitere Opern, darunter *Die schweigsame Frau* (1935). 1949 schrieb der Komponist seine *Vier letzten Lieder*, am 8. September desselben Jahres starb er in Garmisch-Partenkirchen.

er schreiben, verkündete Strauss 1909, nachdem Hofmannsthal ihm ein Textbuch mit »bunter, fast pantomimisch durchsichtiger Handlung« und »drastischer Komik« in Aussicht gestellt hatte. In der Tat erinnert manches im *Rosenkavalier* an Mozarts *Die Hochzeit des Figaro*, insbesondere natürlich die Rolle des Oktavian: Sie wird, wie der Cherubino im *Figaro*, von einer Frau gesungen, die einen Mann darstellt, der sich wiederum im Verlauf der Oper als Frau verkleidet. Aber auch die im Rokoko angesiedelte Handlung mit ihren teils burlesken Szenen und den dennoch ihren Platz behauptenden lyrischen Partien zeugt von einer Verwandtschaft mit Mozarts Buffo-Oper. Von einer Tendenz zur Atonalität ist im *Rosenkavalier* nichts mehr zu spüren; die Melodieführung bedeutet

Marie Götze als Klytämnestra in der Oper *Elektra* von Richard Strauss: Das Werk bildete den Auftakt einer erfolgreichen Zusammenarbeit mit dem Dramatiker Hugo von Hofmannsthal.

eine Rückkehr zur Gesangsoper, in die sich viel Volkstümliches mischt – zum Beispiel dank der Walzer, die der Oper ihr Lokalkolorit verleihen, auch wenn es sie zur Zeit der Handlung noch gar nicht gegeben hat. Für die Rezitative entwickelte Strauss erstmals seinen sogenannten Konversationston, der sich stark an der Sprachmelodie orientiert.

Aus der Zusammenarbeit des »Dreamteams« Strauss/Hofmannsthal entstanden in den folgenden Jahren die Opern *Ariadne auf Naxos* (1912; Neufassung 1916), *Die Frau ohne Schatten* (1919), *Die ägyptische Helena* (1928) und *Arabella* (1933). Der Komponist sah in diesen und späteren Bühnenwerken von harmonischen Experimenten ab, besann sich stärker auf eine blühende Melodik, behielt aber seine farbenreiche Instrumentation bei. So entstand sein spätromantisch anmutender, oft ironisch gefärbter Personalstil. »Früher befand ich mich auf Vorpostenstellung, heute bin ich fast in der Nachhut«, konstatierte Strauss in den 1920er-Jahren.

Spätromantik und Expressionismus

Um die differenzierte psychologische Ausdeutung seiner Protagonisten ging es auch Franz Schreker (1878–1934), der in den 1920er-Jahren zu den populärsten Opernkomponisten des deutschsprachigen Raums zählte. Seinen Durchbruch erreichte der Österreicher 1912 mit dem Künstlerdrama *Der ferne Klang,* zu dem er selbst das Libretto verfasst hatte. Darin begibt sich der junge Künstler Fritz auf die Suche nach eben jenem fernen Klang, einem kaum greifbaren Ideal. Dafür verlässt er seine Geliebte Grete, die nun stattdessen den Wirt des Dorfes heiraten soll. Sie flieht und begegnet Jahre später, inzwischen Kurtisane in Venedig, Fritz erneut. Der wendet sich jedoch angesichts ihrer Profession angewidert ab. Im dritten Akt treffen beide noch einmal zusammen: Fritz ist verzweifelt, weil sein Stück beim Publikum durchgefallen ist, und hat allen Lebensmut verloren; Grete ist inzwischen zur Straßendirne herabgesunken. Ein Freund führt beide zueinander, Fritz stirbt in den Armen der einstigen Geliebten, nachdem er einen letzten Satz hervorgebracht hat: »Nun habe ich dich gefunden.« Schreker setzt vielfältige musikalische Mittel ein, um dem Publikum die Szenerie intensiv vor Augen zu führen: Er integriert Wirtshauslärm oder das Pfeifen eines abfahrenden Zuges in die Komposition, er lässt die Zuhörer am Zauber der nächtlichen Natur teilhaben und schichtet, um des Gesamteindrucks willen, zu Beginn des zweiten Akts mehrere musikalische Ebenen übereinander. Die Regieanweisung an dieser Stelle lautet:

»Die folgenden Szenen sollen sich, ob mehr oder minder verständlich ist gleichgültig, in lebhafter Weise gespielt und gesprochen werden, den verschiedenen auf die Bühne dringenden Klängen (Gesang von oben, Zigeunermusik, Musik von den Gondeln, Serenade des Grafen) in der Weise vermengen, dass der Zuhörer einen möglichst getreuen Eindruck des Milieus erhält, und beinahe die Empfindung in ihm wachgerufen wird, er befände sich selbst mitten in diesem Treiben, das ihn wie eine geheimnisvoll verworrene Ouvertüre zu den sich vorbereitenden Lustbarkeiten anmutet.«

Der Komponist schrieb nicht nur einen großen Orchesterapparat unter anderem mit vielen Bläsern, Harfen, Celesta (einem zu dieser Zeit häufig verwendeten, über eine Tastatur angeschlagenen Glockenspiel) und Klavier vor, sondern setzte zusätzlich auch zwei Bühnenmusiken ein. Ähnlich umfangreich fällt die Instrumentierung bei Schrekers Oper *Die Gezeichneten* (UA 1918) aus, die im Genua des 16. Jahrhunderts spielt. Nur selten entfaltet das Orchester die volle Tuttiwirkung, vielmehr geht es um ausgefeilte Klangmischungen. Charakteristisch ist eine ständige harmonische Fluktuation mit schillernden, irisierenden Akkorden. Weitere Opern folgten, darunter *Der*

Schatzgräber (1920) und *Der Schmied von Gent* (1932). Von den Nationalsozialisten als »entartet« diffamiert, geriet Schrekers Werk nach 1933 in Vergessenheit und wurde erst ab den 1980er-Jahren wiederentdeckt.

Ähnlich erging es Erich Wolfgang Korngold (1897–1957), der schon als Teenager mit den beiden Operneinaktern *Der Ring des Polykrates* und *Violanta* (zusammen 1916 uraufgeführt) von sich reden machte. Sein erstes großes Bühnenwerk, *Die tote Stadt*, nach dem symbolistischen Roman *Das tote Brügge* (1892) von Georges Rodenbach, war nach der Premiere 1920 in Hamburg und Köln an allen großen Bühnen präsent und wurde 1921 auch an der Metropolitan Opera in New York gezeigt. In der fantastischen Handlung kommt es zur Konfrontation zwischen Traum und Realität; damit griff Korngold ein vor allem in Wien beliebtes Sujet der Jahrhundertwende auf. Aus Trauer um seine verstorbene Frau Marie zieht sich Paul in die tote Stadt Brügge zurück. Dort begegnet er eines Tages der Tänzerin Marietta, die in seinen Augen Marie aufs Haar gleicht. Er ist hin- und hergerissen zwischen den Gefühlen für die Tote und der neu erwachten Leidenschaft für die Lebende; der

Erich Wolfgang Korngolds Oper *Das Wunder der Heliane* war lange in Vergessenheit geraten und findet in der Gegenwart den Weg zurück auf die Bühne. Korngold gehörte in den 1920er-Jahren zu einem der meistgespielten Opernkomponisten (Aufführung an der Deutschen Oper in Berlin, 2018).

Konflikt eskaliert so weit, dass er Marietta tötet. Diese Tat reißt Paul aus seinem Traum. In der Realität teilt ihm seine Haushälterin mit, dass eine Frau auf ihn wartet. Korngold blieb musikalisch der Spätromantik verpflichtet, er bewies ein sicheres Gespür für Bühnenwirksamkeit und eingängige sangliche Melodik. Das Lied der Marietta, »Glück, das mir verblieb«, ist heute ein populäres Konzertstück. Die folgende, 1927 uraufgeführte Oper *Das Wunder der Heliane* war weit weniger erfolgreich, nicht zuletzt deshalb, weil sich der Zeitgeschmack hin zur Neuen Sachlichkeit gewandelt hatte. Seine fünfte und letzte Oper, *Die Kathrin*, vervollständigte Korngold im Sommer 1937, die für 1938 geplante Uraufführung in Wien wurde nach dem »Anschluss« Österreichs an Deutschland unter den Nationalsozialisten wegen der jüdischen Abstammung des Komponisten verboten. Korngold, der schon 1934 auf Einladung des Regisseurs Max Reinhardt nach Hollywood gekommen war, machte dort als Filmkomponist Karriere; zwei seiner Filmmusiken wurden mit einem Oscar prämiert.

Die Ächtung durch die Nationalsozialisten führte dazu, dass Korngolds Opern über Jahrzehnte fast in Vergessenheit gerieten; ebenso erging es beispielsweise dem 1935 zur Emigration gezwungenen Bertolt Goldschmidt (1903–1996), dessen Oper *Der gewaltige Hahnrei*, uraufgeführt 1932 in Mannheim, erst 1981 wiederentdeckt wurde, oder dem Österreicher Alexander von Zemlinsky (1871–1942), der 1938 in die USA flüchtete. Er erwarb sich unter anderem als Direktor des Neuen Deutschen Theaters in Prag bleibende Verdienste. Seine bekanntesten, aber zeitweilig ganz von den Bühnen verschwundenen Bühnenwerke sind die Einakter *Eine florentinische Tragödie* (1917) und *Der Zwerg* (1922) nach Vorlagen von Oscar Wilde sowie *Der König Kandaules*, eine Adaption von André Gides gleichnamigem Drama; das letztgenannte Werk erlebte seine Uraufführung erst 1996 an der Hamburger Staatsoper.

Arnold Schönberg und die Zwölftontechnik

Zemlinskys Schüler Arnold Schönberg (1874–1951) trieb die Tendenz Richard Wagners und anderer Spätromantiker zu extremer Chromatik (der Verwendung tonartfremder Halbtöne) und Klängen ohne eindeutigen tonalen Bezug auf die Spitze. Er war überzeugt, dass die diatonische Basis der westlichen Musik sich erschöpft habe und dass eine ganz neue Tonsprache gefunden werden müsse. Ab 1906 begann er atonal zu komponieren, stützte sich also nicht mehr auf das System der Tonarten und folgte zunächst auch keinem anderen Ordnungsprinzip. Mit dem Einakter *Erwartung*, der 1909 entstand, aber erst 1924 uraufgeführt wurde, sprengte er in jeder Hinsicht die Grenzen der Opernkonventionen. Das Monodram erfordert ein riesiges Orchester unter anderem mit 17 Holz- und zwölf Blechbläsern, 30 Geigen, jeweils zehn Bratschen und Celli sowie acht Kontrabässen, aber nur eine Singstimme. Die Handlung: Eine Frau sucht im nächtlichen Wald ihren Geliebten, der sie verlassen hat, und findet ihn schließlich erschlagen auf. Während das äußere Geschehen diverse Interpretationen zulässt, schildert die Komposition, nach dem Vorbild der

Wannsinnsszenen in der romantischen Oper, die inneren Vorgänge der Protagonis-
tin. Seine Intention erläuterte Schönberg im August 1909 in einem Brief an den Kom-
ponistenkollegen Ferruccio Busoni:

---

*»Ich strebe an: Vollständige Befreiung von allen Formen. Von allen Symbolen
des Zusammenhangs und der Logik. [...] Weg von der Harmonie, als Zement
oder Baustein einer Architektur. [...] Weg vom Pathos! Weg von den 24-pfün-
digen Dauermusiken; [...] Meine Musik muss kurz sein. Knapp! In zwei Noten:
nicht bauen, sondern ›ausdrücken‹!! [...] Und das Resultat, das ich erhoffe:
keine stilisierten und sterilisierten Dauergefühle. Das gibt's im Menschen
nicht: Dem Menschen ist es unmöglich, nur ein Gefühl gleichzeitig zu haben.
Man hat tausende auf einmal. Und diese tausend summieren sich so wenig,
als Äpfel und Birnen sich summieren.«*

Schönberg passte seine ex-
pressionistische und auch
rhythmisch wie improvisiert
wirkende Komposition per-
fekt dem Text von Marie Pap-
penheim an, oft wird die Stimme im Sprechgesang geführt.
Die raschen Stimmungsum-
schwünge sowie das Fehlen
eines tonalen Zentrums und
eines Grundpulses verstärken
noch den Eindruck der Ent-
wurzelung.

Zusammen mit seinen
Schülern Alban Berg (1885–
1935) und Anton Webern
(1883–1945) begründete
Schönberg die sogenann-
te Zweite Wiener Schule,
die mit dieser Bezeichnung
der »Ersten Wiener Schule«,
nämlich der von Haydn, Mozart und Beethoven domi-
nierten Wiener Klassik, ihre
Reverenz erwies und damit

Arnold Schönberg
entwickelte die
Zwölftontechnik und gilt
als einer der einfluss-
reichsten Komponisten
des 20. Jahrhunderts
(Porträtaufnahme von
1911 mit einer Widmung
an den bildenden Künstler
Wassily Kandinsky).

ihre Verbundenheit mit der musikalischen Tradition unterstrich. Als problematisch erwies sich die von den Komponisten experimentell erkundete freie Atonalität in struktureller Hinsicht, denn mit der Dur-Moll-Harmonik entfiel auch das dadurch vorgegebene formale Gerüst.

Einen Ausweg hieraus suchte Alban Berg für seine Oper *Wozzeck* (UA 1925), die als ein Höhepunkt des musikalischen Expressionismus gilt, mit dem Rückgriff auf traditionelle Formen. Er stellte auf der Grundlage von Georg Büchners 1836/37 entstandenem Dramenfragment *Woyzeck* 15 Szenen zusammen, denen er kompositorisch jeweils eine traditionelle Form aus der Instrumentalmusik früherer Jahrhunderte gab. So besteht der erste Akt aus fünf Charakterstücken, der zweite ist als Sinfonie mit fünf Sätzen konzipiert, der dritte als eine Reihe von Inventionen, wobei der letzten Szene ein reines Instrumentalstück vorangestellt ist. Die Komposition ist weitgehend atonal, anders als Schönberg ließ Berg aber Anklänge an einen tonalen Zusammenhang zu und verwendete – oft stark modifizierte – Leitmotive.

Alban Berg sicherte sich mit seinen Opern *Wozzeck* und *Lulu* einen dauerhaften Platz im Repertoire.

Auch unter dem Eindruck seines eigenen Militär-
dienstes im Ersten Weltkrieg legte er inhaltlich den
Schwerpunkt auf die Leiden des Titelhelden, der
durch dauernde Demütigung, die Brutalität des Mi-
litärdienstes und sozialen Druck so weit getrieben
wird, dass er einen Mord begeht.

Arnold Schönberg fand einen anderen Weg zu einer festgelegten Struktur für atonale Kompositionen.
Er entwickelte Anfang der 1920er-Jahre die Metho-
de der »Komposition mit zwölf nur aufeinander be-
zogenen Tönen« – die Zwölftontechnik –, die seine
Schüler übernahmen und modifizierten: Dabei wird
für die zwölf Halbtöne einer Tonleiter eine beliebi-
ge, dann aber unveränderliche Reihenfolge festgelegt.
Kein Ton erklingt ein zweites Mal, bevor nicht alle
anderen Töne erklungen sind, um eine Verdichtung
zu einem tonalen Zentrum zu vermeiden. Da die Reihe die Beziehungen zwischen den Tönen regelt, kann
sie von vorne oder hinten (gegenläufig) und jeweils
gespiegelt verwendet werden. Diese vier Gestalten
oder Modi können auf jeder der zwölf Tonstufen be-
ginnen: Damit ergeben sich in der strengsten Form
insgesamt 48 Reihen, die als »Baukasten« für die gesamte Komposition dienen. Schönbergs Einakter *Von
heute auf morgen* (1930) gilt als die erste Oper auf der
Basis einer Zwölftonreihe, die der Komponist aller-

Donald Grobe und Evelyn
Lear in *Lulu* von Alban
Berg, Deutsche Oper
Berlin, 1968

dings parodistisch mit vielerlei Einsprengseln anreicherte. Zwischendurch erklingen Walzertakte, Jazzrhythmen oder auch Wagner-Zitate. Unvollendet blieb Schönbergs gewichtigstes Bühnenwerk, die zweistündige Oper *Moses und Aron*, in der er
die »Volkwerdung der Juden« darstellen wollte. Das Werk, das auf einer einzigen
Zwölftonreihe aufbaut, wurde 1954 konzertant und 1957 szenisch uraufgeführt.
Das Libretto nach dem 2. Buch Mose legte der Komponist als Auseinandersetzung
zwischen zwei Ideenträgern an: Moses, als Sprechrolle mit fixierter Tonhöhe, ver-
tritt den Gedanken des unvorstellbaren Gottes, Aron, ein sehr hoher Tenor, ist der
pragmatische Führer des auserwählten Volkes, das vom Chor verkörpert wird. In
den Jahren 1930 bis 1932 komponierte Schönberg die ersten beiden Akte der Oper,
der dritte Akt existiert nur als Textfragment.

Mit *Lulu* nach Frank Wedekinds Dramen *Die Büchse der Pandora* und *Der Erd-
geist* schrieb auch Alban Berg eine Zwölftonoper; der Komponist starb, bevor er die
Instrumentierung vollenden konnte. Seine Witwe verbot eine Vervollständigung,
nachdem Schönberg und Webern es abgelehnt hatten, die Partitur zu ergänzen.
Das hat dazu geführt, dass der dritte Akt der *Lulu* heute in verschiedenen Fassungen gezeigt wird.

Tonal oder atonal

Die abendländische Kunstmusik beruht auf der sogenannten diatonischen Skala. Sie besteht aus fünf Ganz- und
zwei Halbtönen, die je nach der Zuordnung der Tonleiter an unterschiedlichen Stellen liegen – bei Dur-Tonleitern zum Beispiel zwischen
dritter und vierter sowie zwischen siebter und achter Stufe. Die seit dem
frühen Mittelalter gebräuchlichen Kirchentonarten wurden im 17. Jahrhundert durch die Dur-Moll-Harmonik abgelöst. Deren Grundprinzip ist die Tonalität:
Töne und Akkorde beziehen sich auf ein tonales Zentrum, die Tonika, und sind innerhalb des Bezugssystems hierarchisch geordnet. So kehrt in der Regel ein Musikstück am Ende in die Tonart zurück, in der es begonnen hat, auch wenn es zwischen-
zeitlich in andere Tonarten gewechselt ist. In diesem System werden konsonante, also
wohlklingende, Intervalle bzw. Akkorde von Dissonanzen unterschieden, die nach der
Auflösung in eine Konsonanz streben. Solche Dissonanzen werden zum Beispiel als
Hinleitung auf den Schlussakkord eingesetzt. Als Chromatik (abgeleitet vom griechischen Wort für Farbe) bezeichnet man die Veränderung einer diatonischen Stufe
um einen Halbton nach oben oder unten. Diese »Färbung« kann unter anderem
dazu dienen, den Übergang von einer Tonart in eine andere zu gestalten, melodische Linien zu verzieren oder durch die entstehende harmonische Spannung
einen Gefühlsgehalt auszudrücken. Diese Möglichkeit nutzten Richard
Wagner oder Richard Strauss so intensiv, dass manche Akkorde nicht
mehr in die Dur-Moll-Harmonik einzuordnen sind. Arnold Schönberg ließ das System hinter sich, indem er auf ein tonales
Zentrum verzichtete. Er ersetzte die siebenstufige
Skala durch eine Leiter aus zwölf gleichbe-
rechtigten Halbtönen.

Zeitoper und episches Musiktheater

Mitte der 1920er-Jahre setzte eine Gegenbewegung zur inten-
siven Innenschau und Subjektivität des Expressionismus und
seiner anspruchsvollen Musik ein. Das kurzlebige Genre der
Zeitoper befasste sich in einem konventionellen, allgemein
verständlichen Kompositionsstil mit Themen der Gegenwart.
Wie die Opera buffa wählte sie überwiegend komische Sujets,
die oft ins Satirische verzerrt wurden. Charakteristisch waren die Tendenz, moderne Technologien wie das Telefon oder
Flugzeuge in die Handlung einzubringen, und die häufigen
Bezüge auf die Tanz- und Populärmusik der Zeit. Zu den erfolgreichsten Stücken zählt die Oper *Jonny spielt auf* von Ernst
Krenek (1900–1991), der selbst das Libretto verfasste. Der vita-
len Energie der Neuen Welt, verkörpert durch den schwarzen

Ernst Krenek emigrier-
te 1938 in die USA;
seine Werke galten den
Nationalsozialisten als
»entartet«.

Jazzmusiker Jonny, wird die grüblerische, intrigante Atmosphäre der Alten Welt in Gestalt des Geigenvirtuosen Daniello gegenübergestellt; dazu gibt es eine recht verwickelte Liebesgeschichte zwischen dem Komponisten Max und der Opernsängerin Anita. Am Ende triumphiert der Jazz, und der Schlusschor singt:

»Die Stunde schlägt der alten Zeit,

die neue Zeit bricht jetzt an.

Versäumt den Anschluss nicht.

Die Überfahrt beginnt

ins unbekannte Land der Freiheit.

Die Überfahrt beginnt,

so spielt uns Jonny auf zum Tanz.

Es kommt die neue Welt übers Meer

gefahren mit Glanz

und erbt das alte Europa durch den Tanz.«

Die Oper spiegelt das Lebensgefühl der 1920er-Jahre mit ihrer Begeisterung für alles Moderne und besonders für die aus den USA nach Europa schwappenden Jazzklänge. Dabei spielte es keine Rolle, dass der Komponist keineswegs stilechten Jazz anstrebte, sondern lediglich einzelne, vor allem rhythmische Elemente übernahm. Das oft als »Jazzoper« bezeichnete Stück ist zwar Kreneks bekanntestes, aber keineswegs sein einziges Bühnenwerk. Nach expressionistischen Anfängen in freier, sehr individueller Atonalität unter anderem mit der Oper *Orpheus und Eurydike* (1926) auf das Libretto des Malers und Dichters Oskar Kokoschka sowie mehreren kurzen Zeitopern, schrieb er, angelehnt an die französische Grand opéra des 19. Jahrhunderts, die Oper *Leben des Orest* (1930) in neoromantischem Stil und wandte sich schließlich der Zwölftontechnik zu. Seine nach deren Prinzipien komponierte Oper *Karl V.* wirft in der Rückschau Schlaglichter auf das Leben des Habsburger Kaisers. Die Uraufführung in Wien wurde aus politischen Gründen abgesagt und konnte erst 1938 in Prag über die Bühne gehen. In Nazi-Deutschland galt Krenek als »Kulturbolschewik«, sein Werk war als »entartet« verboten. Nach dem »Anschluss« seiner Heimat Österreich emigrierte der Komponist in die USA.

Dieses Schicksal teilte er mit Paul Hindemith (1895–1963), dessen Werke ab 1936 in Deutschland nicht mehr gespielt werden durften und der 1938 zunächst in die Schweiz, zwei Jahre später dann in die USA übersiedelte. In den 1920er-Jahren gab Hindemith den provokanten Bürgerschreck unter anderem mit seinen drei expressionistischen Kurzopern *Mörder, Hoffnung der Frauen* und *Das Nusch-Nuschi* (beide 1921) sowie *Sancta Susanna* (1922). »Lustige Oper« überschrieb der Komponist seinen Beitrag zum Genre der Zeitoper, das Stück *Neues vom Tage*, das 1929

Jonny spielt auf von Ernst Krenek ist ein Beispiel für das Genre der Zeitoper, das in den 1920er-Jahren sehr populär war (Theaterzettel einer Aufführung in der Städtischen Oper Berlin, 1927).

an der Berliner Krolloper Premiere feierte. Die Satire auf Bürokratie, Kulturbetrieb und Medienwelt verursachte einen Skandal; besonderes Aufsehen erregte eine Szene, in der eine Koloratursopranistin in der Badewanne liegend die Vorzüge der Warmwasserversorgung preist. Musikalisch orientierte sich Hindemith nun an der Neuen Sachlichkeit. Jazzrhythmen, Salonmusik und Songs sind mit Versatzstücken aus der klassischen Oper und lyrischen Passagen kombiniert. Zwei Jahre zuvor hatten Hindemith und sein Librettist, der Kabarettist Marcellus Schiffer, bereits eine experimentelle Mini-Oper auf die Bühne gebracht, das zwölfminütige Ehedrama *Hin und zurück*. Darin tötet ein eifersüchtiger Ehemann seine Frau und dann sich selbst; ein Weiser erscheint, der feststellt, eine höhere Macht sei dagegen, wegen einer solchen Kleinigkeit Selbstmord zu begehen. Daraufhin läuft das Geschehen rückwärts ab, bis es wieder den Ausgangspunkt erreicht.

Mit der »ersten deutschen Fabrikoper« machte der Österreicher Max Brand (1896–1980) Furore: *Maschinist Hopkins*, 1929 in Duisburg uraufgeführt, bringt die Welt der Fabrikarbeiter auf die Bühne. Der Komponist, der später ebenfalls emigrieren musste, zeigt sich von Maschinen fasziniert, die er teilweise wie Menschen agieren lässt, wobei sie sich der Titelfigur als ihr Werkzeug bedienen. Damit rückt er in die Nähe der italienischen Futuristen, die in der Technik den einzig wahren Fortschritt erblickten und die Tradition verachteten. Brands Musiksprache reicht von pathetischer Operngestik über Geräuschkomponenten bis hin zu Tanzmusik und Jazz.

Szene der Uraufführung
von Brechts *Dreigro-
schenoper* im Berliner
Theater am Schiffbauer-
damm mit (v.l.n.r.) Kurt
Gerron als Tiger Brown,
Roma Bahn als Polly,
Harald Paulsen als
Mackie Messer
und Erich Ponto als
Peachum, Berlin 1928

Die bis heute bekannteste und meistgespielte Zeitoper trägt die Werkbezeichnung
»Stück mit Musik in einem Vorspiel und acht Bildern«: Bertolt Brechts *Die Dreigroschenoper* (1928) nach der 200 Jahre zuvor entstandenen *Beggar's Opera* spielt im
London des 19. Jahrhunderts im Milieu der Bettler, Prostituierten und Diebe, dient
aber dazu, deutliche Kritik an den gesellschaftlichen Strukturen der Gegenwart zu
üben. Auch in diesen kriminellen Kreisen werden – wie im bürgerlichen Milieu – Ge-
schäfte gemacht, im Kampf gegen die Konkurrenz werden unlautere Mittel eingesetzt, und die Obrigkeit lässt sich korrumpieren. Bei der musikalischen Umsetzung
beherzigte der Komponist Kurt Weill (1900–1950) Grundsätze, die sein Lehrer Ferruccio Busoni (1866–1924) schon 1907 in seiner Schrift *Entwurf einer neuen Ästhetik
der Tonkunst* dargelegt hatte:

»So wie der Künstler, wo er rühren soll, nicht selber gerührt werden darf –
soll er nicht die Herrschaft über seine Mittel im gegebenen Augenblicke
einbüßen –, so darf auch der Zuschauer, will er die theatralische Wirkung
kosten, diese niemals für Wirklichkeit ansehen, soll nicht der künstlerische
Genuß zur menschlichen Teilnahme herabsinken. Der Darsteller ›spiele‹ – er
erlebe nicht. Der Zuschauer bleibe ungläubig und dadurch ungehindert im
geistigen Empfangen und Feinschmecken.«

Weill kehrte bewusst zur alten Nummernoper zurück – er habe die »Urform der
Oper« aufspüren wollen – und wandte sich scharf gegen die Vorstellung, die Musik könne dazu dienen, Vorgänge, Gestalten oder Charaktere zu schildern. Vielmehr
wollte er mit seiner Musik die Handlung und den gesprochenen Dialog unterbrechen
und die Zuschauer auf diese Weise zwingen, ihre Reaktion auf das Bühnengeschehen
zu hinterfragen. Die Verfremdung als Mittel zur »Erziehung« des Publikums findet
sich in Brechts Konzept des epischen Theaters wieder.

Einen handfesten Theaterskandal riefen Weill und Brecht 1930 mit ihrer Oper *Aufstieg und Fall der Stadt Mahagonny* hervor, die im Neuen Theater Leipzig Premiere
hatte. Geschürt wurden die Tumulte während der ersten Vorstellung von Rechtsradi-
kalen, die Brechts harsche Kapitalismuskritik niederzuschreien versuchten. Immerhin lautete die Botschaft: In der Stadt Mahagonny ist alles erlaubt, bis auf eines: nicht
zahlen zu können. Auch Weill zählte zu den Komponisten, die vor den Nationalsozialisten in die USA flüchteten.

Igor Strawinsky, Paul Hindemith und der Neoklassizismus

In Paris fand sich noch während des Ersten Weltkriegs eine Gruppe von Komponisten – der Schweizer Arthur Honegger (1892–1955) und die Franzosen Darius Milhaud (1892–1974), Francis Poulenc (1899–1963), Georges Auric (1899–1983), Louis
Durey (1888–1979) und Germaine Tailleferre (1892–1983) – um ihren Mentor Erik Sa-
tie zusammen; 1918 stieß der Schriftsteller, Maler und Regisseur Jean Cocteau dazu,
der schnell zum Wortführer der »Groupe des Six« wurde. Ihre Gemeinsamkeit lag vor
allem in der Ablehnung der emotionalen und orchestralen Exzesse der Spätromantik
und des Expressionismus und dem Streben nach einer klaren und »objektiven« Kompositionsweise. Für die geforderte Herstellung des »Gleichgewichts von Gefühl und
Vernunft in der Kunst« galten der Rückgriff auf musikalische Formen, Gattungen
und Satztechniken vorromantischer Epochen und das Festhalten an der Tonalität als
adäquate Mittel.

»*Drei drohende Komponistenfiguren bewachen das Reich der Oper: Wagner, Debussy und Strauss. Wich man vor Debussy zurück, kam man zu Massnet: wollte man Strauss umgehen, stieß man auf Puccini, was schlimmer war. Aber ehe man umkehrt – jeder Rückzug ist ja eine Niederlage – warum suchte man nicht erst ein neues Tor?*«

Mit diesen Worten umschrieb Arthur Honegger seine konzeptionellen Überlegungen für ein musikalisches Bühnenwerk. Er suchte »das neue Tor« in einer Mischform aus Oper und Oratorium, die er etwa in *Jeanne d'Arc au bûcher* (*Johanna auf dem Scheiterhaufen*, szenische UA 1942) nach dem Libretto von Paul Claudel umsetzte. Die Hauptrollen des Stückes sind Sprechern anvertraut. Musikalisch griff der Komponist auf eine Vielfalt von Stilrichtungen zurück – auf Folklore und den gregorianischen Choral, auf parodistische Jazzklänge und ekstatische Gesangssoli, auf schlichte Kinderlieder und komplexe Chorszenen. Polytonale und dissonanzenreiche Passagen charakterisieren die bösen Mächte, das Gute wird durch einfache tonale Harmonik dargestellt. Darius Milhaud experimentierte unterdessen mit Kurzopern von rund acht Minuten Länge und vertonte für sein Bühnenwerk *Le pauvre matelot* (*Der arme Matrose*, 1927) einen Text von Cocteau, der in seiner Tragik an ein griechisches Drama erinnert: Ein Matrose kehrt nach langer Zeit heim, gibt sich seiner Frau gegenüber aber als Freund ihres

Die Pariser Künstlergruppe *Groupe des Six* lehnte die Musik der impressionistischen Komponisten ab und suchte neue Wege des künstlerischen Ausdrucks; am Flügel Jean Cocteau.

Mannes aus und zeigt ihm seinen größten Schatz, eine Perlenkette. Die Frau tötet den vermeintlichen Fremden und bringt die Kette an sich, damit sie und ihr Mann nach dessen Wiederkehr vom Erlös leben können. Ob sie ihren Irrtum erkennt und ob das Verbrechen gesühnt wird, bleibt offen. Francis Poulenc sicherte sich mit der 1957 an der Mailänder Scala uraufgeführten Oper *Dialogue des Carmélites (Gespräche der Karmeliterinnen)* einen dauerhaften Platz im internationalen Repertoire.

Zum Umfeld der Groupe des Six zählte auch der Komponist Igor Strawinsky (1882–1971). Der gebürtige Russe, ein Schüler von Nikolai Rimsky-Korsakow, lebte ab 1910 mehr oder weniger dauerhaft in Paris und sorgte dort 1913 mit seinem Ballett *Le sacre du printemps* für einen Skandal. Im Jahr darauf feierte seine erste Oper *Le Rossignol (Die Nachtigall)* nach einem Märchen von Hans Christian Andersen Premiere. Stand der erste Akt noch stark unter dem Eindruck des französischen Impressionismus, trat im zweiten und dritten Akt das rhythmische Element in den Vordergrund, das auch später Strawinskys Personalstil prägte. Das Experiment einer Oper ohne Gesang wagte der Komponist mit *L'histoire du soldat (Die Geschichte vom*

Szene aus Strawinskys Ballettmusik *Le sacre du printemps* in einer Choreografie von Sasha Waltz, Berliner Staatsoper Unter den Linden, 2013

Soldaten, 1918) mit drei Sprechrollen und einem Tanzpart sowie einem sparsam besetzten Orchester. Märsche, Tänze und Choräle bestimmen die Partitur, werden aber so verfremdet, dass beim Publikum keine schwelgerische Genusshaltung aufkommen kann. Die ironisch-distanzierte Haltung behielt Strawinsky in seinem »Opern-Oratorium« *Oedipus Rex* (1928) bei, für das Cocteau nach dem antiken Drama von Sophokles das Libretto verfasste. Der Komponist ließ es für die Vertonung ins Lateinische übertragen und setzte einen Sprecher ein, der an den Szenenübergängen in französischer Sprache die Handlung referiert. Strawinskys letzte Oper, *The Rake's Progress* (1951), die nach seiner Übersiedelung in die USA entstand, ist eine sarkastische Gesellschaftskomödie. Die Struktur mit einem Wechsel von Soli und Ensembles sowie von einem Cembalo begleiteten Rezitativen und die Besetzung mit einem Kammerorchester lassen an Mozart denken, auch Bezüge zum italienischen Belcanto sind hörbar. Die nostalgische Verzückung wird jedoch immer wieder durch die moderne Klangsprache und Strawinskys ausgeprägte Rhythmik zerstört.

Sergei Prokofjews Oper *Die Liebe zu den drei Orangen* in einer Aufführung des Hamburger Schauspielhauses, 2002

Die Liebe zu den drei Orangen (1921) ist die populärste Oper von Strawinskys Land-mann Sergei Prokofjew (1891–1953), der ebenfalls dem Neoklassizismus zugerechnet wird. Das von dem Komponisten selbst geschriebene Libretto greift auf ein Märchen-drama des venezianischen Adligen Carlo Gozzi von 1761 zurück, in dem typische Figuren der italienischen Commedia dell'Arte agieren. Im Mittelpunkt steht ein me-lancholischer Prinz, der unbedingt zum Lachen gebracht werden soll. Böse Mäch-te stellen sich der angestrebten Heilung immer wieder in den Weg. Zudem wird ein Streit darüber ausgetragen, ob die Oper einen heiteren oder tragischen Verlauf neh-men soll. Während den Kräften des Guten wohlgeordnete tonale Klänge zugeord-net sind, ist die Sphäre des Bösen von Bitonalität und scharfen Dissonanzen geprägt. Prokofjew wandte seiner Heimat nach der Oktoberrevolution 1918 den Rücken zu, übersiedelte aber 1936 nach Jahren des Pendelns zwischen Paris und Moskau wieder ganz in die Sowjetunion. Dort geriet er immer wieder mit der kulturpolitischen Linie der Kommunistischen Partei in Konflikt; so wurde er 1948 »formalistischer Tenden-zen« bezichtigt und zu mehr Volkstümlichkeit aufgefordert. Nicht anders erging es Dmitri Schostakowitsch (1906–1975), dessen beißend satirische Oper *Die Nase* nach Nikolai Gogols gleichnamiger Erzählung schon bald nach der Uraufführung 1930 ein Opfer der Zensur wurde. Kritisiert wurden vor allem das Fehlen eines positiven Hel-den und die Annäherung an westliche Kompositionsstile.

Als ein Schlüsselwerk des 20. Jahrhunderts gilt Schostakowitschs 1934 uraufgeführ-te Oper *Lady Macbeth von Mzensk*. Im Gegensatz zur Vorlage, der gleichnamigen Er-zählung (1865) von Nikolai Leskow, ist die Titelfigur hier keine skrupellose Mörderin; vielmehr wird die Kaufmannsgattin Katerina Ismailowa durch die gesellschaftlichen Umstände und das soziale Klima zu ihren Taten getrieben und soll nach dem Willen des Komponisten beim Zuschauer Mitgefühl wecken.

»Katerina Lwowna ist eine kluge, begabte und schöne Frau. Durch die schweren, bedrückenden Bedingungen, denen das Leben sie unterworfen hat, durch die Einkreisungen im barbarischen, habgierigen und kleinlichen Kaufmannsmilieu wird ihr Leben freudlos, uninteressant, düster.«

In der von ihm entwickelten Montagetechnik setzte Schostakowitsch in der Szenen-abfolge unterschiedlichste Musikstile von barocken Formen wie der Passacaglia über sentimentale Gesangslinien bis zu grell dissonanten Passagen nebeneinander. Mit drastischen Mitteln hob er die sexuellen Szenen der Handlung hervor. Die Oper wur-de zwei Jahre lang in Moskau und Leningrad (heute St. Petersburg) aufgeführt, dann aber auf Geheiß des Machthabers Josef Stalin in der Parteizeitung *Prawda* unter der Überschrift »Chaos statt Musik« verrissen und anschließend verboten.

Als der bedeutendste deutsche Vertreter des Neoklassizismus gilt Paul Hindemith, dessen ernste, abendfüllende Opern sich mit der sozialen Rolle und der Psychologie

Cardillac: Janet Coles, Ronald Grobe

des Künstlers auseinandersetzen. *Cardillac* (1926) nach E. T. A. Hoffmanns Erzählung *Das Fräulein von Scuderi* ist als traditionelle Oper mit geschlossenen Nummern und polyphoner Stimmführung komponiert. *Mathis der Maler* (1938) ist eine düstere, oft karge Meditation über die Frage, ob der Künstler sich unberührt von den politischen Umständen seinem Schaffen widmen oder ob er sich einmischen soll. Damit bezog sich Hindemith auch auf seine eigene Situation, galt er den Nationalsozialisten doch als »atonaler Geräuschemacher«. 1938 zog er in die Schweiz, 1940 übersiedelte er in die USA, kehrte aber Anfang der 1950er-Jahre nach Europa zurück. Hier entstand die Oper *Die Harmonie der Welt* (1957), in der Hindemith seine harmonische Theorie mit dem Konstrukt des Astronomen Johannes Kepler eines in sich geschlossenen, harmonischen Aufbaus der Welt in Beziehung setzte.

Eine Sonderstellung nimmt Carl Orff (1895–1982) ein, der in seinen Bühnenwerken auf antike und mittelalterliche Stoffe und deren charakteristische Rhythmik, Klangfarbe und Stilisierung zurückgriff. Dies zeigt sich zum Beispiel in ständigen Text- und Motivwiederholungen und dem umfassenden Einsatz des Schlagzeugs, aber auch in archaisch anmutenden Akkorden ohne tonale Bestimmung. Nach den Märchenopern *Der Mond* (1939) und *Die Kluge* (1943) folgten das »Bairische Stück« *Die Bernauerin* (1947) und mehrere Opern nach literarischen Texten der griechischen und römischen Antike. Dabei sorgte Orff in *Antigonae* (1949) für besondere Klangfarben, indem er im Orchester mit Ausnahme der Kontrabässe auf Streicher verzichtete, dafür aber sechs

Futurismus

INFO

Zu Beginn des 20. Jahrhunderts befasste sich, von
Italien ausgehend, eine Gruppe von Künstlern mit dem
Verhältnis des Menschen zu seiner technisierten Umwelt. Im
Mittelpunkt der revolutionär neuen Ästhetik des Futurismus standen
die Verherrlichung der modernen Maschinenwelt und der radikale Bruch
mit der Tradition. 1909 wurde das von Filippo Tommaso Marinetti verfasste
erste *Manifest des Futurismus* veröffentlicht, 1911 folgte das *Manifest der fu-
turistischen Musik*, das mit der Forderung schloss, in einer solchen Musik müsse
die »musikalische Seele« der Massen, der großen Industriebetriebe, der Züge, der
Ozeandampfer, der Panzer, der Automobile und der Flugzeuge wiedergegeben werden. Angeregt durch die Geräusche der Industrie- und Maschinenwelt, rief der Komponist Luigi Russolo (1885–1947) dazu auf, die »begrenzte Vielfalt« der traditionellen
Orchesterfarben durch die »unbegrenzte Vielfalt« der Geräuschfarben zu ersetzen.
Er begann mit der Konstruktion von »Intonarumori«, Apparaten, die verschiedene
Geräusche in unterschiedlichen Tonhöhen hervorbringen konnten. In den späteren
1920er-Jahren erbaute er das »Rumorarmonio« (Geräuschharmonium), das
durch Registerzüge sieben Geräusche auf zwölf Tonstufen einzeln oder in
Kombination erzeugte. Zum Einsatz kam seine Erfindung unter anderem
in Marinettis Oper *L'aviatore Dro*, die 1920 in Lugo uraufgeführt wurde.
Erzählt wird die Geschichte eines Fliegers, der durch seinen helden-
haften Tod die Geburt einer neuen reinen Welt als kosmisches
Wunder sichert. Für das musikalisch ansonsten recht
konventionelle Werk ist ein gemischtes Orchester
aus traditionellen Instrumenten und Intonarumori vorgesehen.

Klaviere, vier Harfen und ein großes Schlagwerk – für das zehn bis 15 Spieler benötigt
werden – mit javanischen Gongs und anderen exotischen Klangkörpern einsetzte und
auch traditionelle Orchesterinstrumente wie Flöten und Oboen mit stark perkussiven
Aufgaben betraute.

STILISTISCHE VIELFALT NACH 1945

Auseinandersetzung mit Krieg und Totalitarismus

War mit der »Emanzipation der Dissonanz« in den ersten Jahrzehnten des 20. Jahrhunderts das bis dahin gültige harmonische System aus den Angeln gehoben worden, so machte sich die Avantgarde in Deutschland, aber auch in Frankreich und Italien nach dem Zweiten Weltkrieg daran, die herkömmlichen Vorstellungen von Musik gänzlich zu demontieren. Durch die Verbrechen der Faschisten und die Grauen des Krieges erschien die musikalische Sprache dieser Zeit so korrumpiert, dass es unmöglich war, ihre Tradition weiterzuführen. Stattdessen wollte man an die von Arnold Schönberg entwickelte Zwölftontechnik anknüpfen. Zwar lehnten die striktesten Verfechter der Avantgarde die Oper als überkommen ab, doch eine Reihe von Komponisten wählte die Gattung als Mittel der Auseinandersetzung mit Krieg und Totalitarismus. Viele von ihnen stützten sich auf die Zwölftontechnik, modifizierten sie aber in ihrem Sinne und verwoben sie mit anderen Kompositionstechniken. Karl Amadeus Hartmann (1905–1963) machte in seiner schon 1934/35 entstandenen, aber erst 1949 szenisch uraufgeführten Kammeroper *Simplicius Simplicissimus* nach dem Grimmelshausen-Roman den Dreißigjährigen Krieg zum Thema, um eine bittere Anklage gegen Krieg und Unterdrückung zu erheben. Der Schweizer Rolf Liebermann (1910–1999), der sich in den 1960er-Jahren als Intendant der Hamburgischen Staatsoper besonders für die Neue Musik engagierte, eröffnete in *Leonore 40/45* (1952) den Blick auf den Zweiten Weltkrieg aus zwei Perspektiven – der deutschen und der französischen – und verarbeitete in *Penelope* (1954) den antiken Odysseus-Stoff zu einem Heimkehrerdrama mit tragischem Ausgang. Die Kammeroper *Il prigioniero* (*Der Gefangene*, 1949) des Italieners Luigi Dallapiccola (1904–1975) spielt zur Zeit der Inquisition; der

Komponist wollte sie jedoch als universelles, zeitloses Drama verstanden wissen und wehrte sich gegen Interpretationen, er übe Kritik an der katholischen Kirche oder beziehe sich direkt auf die Erfahrung des Faschismus. Der Protagonist der Oper, ein geschundener, gefolterter Gefangener, wird von einem Gefängniswärter zu neuer Hoffnung auf baldige Freiheit »verführt«, nur um am Ende zu erkennen, dass der vermeintliche Wärter in Wahrheit der Großinquisitor ist und das Wecken

Der Komponist Paul Dessau (am Klavier) hat für Bertolt Brecht zahlreiche Bühnenmusiken geschrieben.

der Hoffnung die letzte und perfideste aller Torturen. Die Komposition basiert im Wesentlichen auf drei Zwölftonreihen, die für das Gebet, die Hoffnung und die Freiheit stehen. Dies verstärkt den Eindruck der Orientierungslosigkeit; alles Vertraute – tonale Klänge, liedhafte Formen, Glockengeläut – entpuppt sich als trügerisch.

Paul Dessau (1894–1979), der als Jude und politisch links Stehender 1933 aus Deutschland geflohen war, hatte schon im Exil eng mit Bertolt Brecht zusammengearbeitet und zu mehreren von Brechts Theaterstücken eine Bühnenmusik komponiert. 1948 ließ er sich in Ostberlin nieder; hier entstand seine bekannteste Oper, *Die Verurteilung des Lukullus* (1951), nach einem von Brecht verfassten Libretto. Darin wird der römische Feldherr Lukullus wegen des Unheils angeklagt, das er durch seine Eroberungszüge angerichtet hat. Das abschließende Urteil lautet: »Ins Nichts mit ihm und ins Nichts mit allen wie er!« Dessau hielt sich eng an die Vorgaben von Brechts epischem Theater und vermied in seiner Partitur jede Emotionalität. Seine Musik schloss Volksliedhaftes und Anklänge an traditionelle Stilrichtungen ebenso ein wie Zwölftonstrukturen.

Politisch engagierte Oper

Der Italiener Luigi Nono (1924–1990), ein Schüler Arnold Schönbergs, stellte seine Musik in den Dienst seines linksgerichteten politischen und sozialen Engagements für eine humanere Welt. Seine Ideen verbreitete er jedoch nicht gemäß dem im Ostblock vorgegebenen sozialistischen Realismus durch volkstümliche Musik. Vielmehr war er ein Verfechter der seriellen Musik, aus der er seinen Personalstil entwickelte. Für seine erste Oper, *Intolleranza 1960* (1961), stellte Nono Texte unter anderem von Wladimir Majakowski und Bertolt Brecht sowie Parolen aus Befreiungskriegen und Passagen aus Polizeiverhören zu einer Collage zusammen. Neben der musikalischen entwickelte Nono auch eine genaue szenische Konzeption. So sind vielfältige Projektionen durch Filme und Dias vorgesehen, die als Kontrapunkte zum Bühnengeschehen eingesetzt werden. Das durch umfangreiches Schlagwerk und viele Holzbläser geprägte Orchester wird um Tonbandzuspielungen ergänzt. Am Beginn und am Schluss wendet sich Nono jeweils mit einem unbegleiteten Chor direkt ans Publikum. In seiner folgenden Oper *Al gran sole carico d'amore* (*Unter der großen Sonne von Liebe beladen*, 1975) ersetzte er die Handlung

Luigi Nonos Oper *Al gran sole carico d'amore* ist als eine Abfolge einzelner szenischer Bilder konzipiert.

vollständig durch einzelne Bilder von kämpfenden, leidenden und sterbenden Frauen in revolutionären Situationen.

Obgleich als Bühnenwerk geplant und als solches aufgeführt, bietet die »Hörtragödie« *Prometeo* (1984, zweite Fassung 1985) keine visuellen Eindrücke. Eine nachvollziehbare Handlung gibt es nicht, die theatralische Aktion verlagert sich in den Prozess des Hörens. Das Libretto, verfasst von dem mit Nono befreundeten Philosophen Massimo Cacciari, besteht aus Textfragmenten von Aischylos und Herodot, Friedrich Hölderlin und Walter Benjamin. Der Komponist hat den Text in Wortketten, in Silben und Laute zersprengt, die er in den musikalischen Fluss eingliedert. Bewegung entsteht dadurch, dass die Musiker – Solostimmen, Chor, verschiedene Instrumentalgruppen und Live-Elektronik (sowie zwei Dirigenten) – im Raum verteilt sind, die Klangeindrücke also quasi von überall kommen.

»Die Zeit biegt sich zu einer Kugelgestalt zusammen.« Der Ablauf von Vergangenheit, Gegenwart und Zukunft sei in der subjektiven Wahrnehmung jedes Einzelnen vertauschbar und vollziehe sich simultan. Diese Anschauung setzte Bernd Alois Zimmermann (1918–1970) in seiner Oper *Die Soldaten* um; als Vorlage diente ihm das 1776 entstandene gleichnamige Drama von Jakob Michael Reinhold Lenz. Sein Interesse an dem Stoff umschrieb der Komponist so:

»Nicht das Zeitstück, das Klassendrama, nicht der soziale Aspekt, nicht auch die Kritik an dem Soldatenstand (zeitlos vorgestern wie übermorgen) bildeten für mich den unmittelbaren Beziehungspunkt, sondern der Umstand, wie alle Personen [...] unentrinnbar in eine Zwangssituation geraten, unschuldig mehr als schuldig, die zu Vergewaltigung, Mord und Selbstmord und letzten Endes in die Vernichtung des Bestehenden führt.«

Die Oper endet in der Konzeption des Komponisten mit dem atomaren Inferno, dem Weltuntergang. Zimmermann stellt die verschiedenen Zeitebenen, kompositionstechnisch streng durchstrukturiert, durch Musikzitate vergangener Epochen, durch komplizierte Rhythmen und ständige Taktwechsel dar, vor allem aber lässt er Szenen gleichzeitig ablaufen und setzt dafür verschiedene Medien ein, darunter Lichteffekte, Film- und Tonbandeinspielungen. Jede der zwölf Szenen beruht auf einer Zwölftonreihe; deren Anfangstöne bilden wiederum eine solche Reihe. Starke Kontraste entstehen zwischen brutalen Klangballungen und zarten Solopassagen. Das Werk wurde 1960 fertiggestellt, galt aber wegen der enormen Anforderungen und der überdimensionalen Besetzung als nicht aufführbar. Der Klangapparat besteht aus einem Orchester mit über 100 Mitwirkenden, darunter acht bis neun Schlagzeuger, weiterem Schlagwerk als Bühnenmusik sowie einer Jazzkombo. Unter den 16 Sängern sind sechs hohe Tenöre. Erst 1965 kam die Uraufführung zustande.

Serielle Musik und elektronische Musik

Die Ende der 1940er-Jahre entwickelte serielle Musik legt nicht nur, wie die Zwölftontechnik, die Abfolge der Tonhöhen fest, sondern auch die von Dauer, Dynamik und Klangfarbe der Töne. Die Grenzen dieser Kompositionstechnik sind allerdings schnell erreicht, denn die vorgegebenen Abstufungen lassen sich von Instrumentalisten oder Sängern kaum exakt wiedergeben, und die verschiedenen Strukturen sind hörend gar nicht zu erfassen. Einen Ausweg bot die elektronische Musik, die mit der Erfindung des Magnettonbands um 1950 aufkam. Gemeint sind nicht herkömmliche Instrumente mit elektronischer Verstärkung, sondern elektronisch erzeugte Klänge. Die Arbeit des Komponisten besteht aus der Herstellung des Materials – Sinustöne, Impulse, Filter, Rauschen usw. – mithilfe von Generatoren, dessen Bearbeitung etwa durch Verzerren oder Verhallen und dem Zusammensetzen, der Synchronisation. Im Verlauf der 1950er-Jahre wurde die elektronische Musik, die in öffentlichen Konzerten über Lautsprecher erklang, zunächst um Tonaufnahmen ergänzt und schließlich mit Instrumentalisten und Sängern kombiniert. Die erste Oper, in der elektronische Musik vom Band erklang, war *Aniara* (1959), eine »Revue des Menschen in Zeit und Raum« des Schweden Karl-Birger Blomdahl (1916–1968). Darin verlässt unter der Kontrolle des Computers Mima das Raumschiff Aniara die verseuchte Erde in Richtung Mars. Während Blomdahl die elektronisch erzeugten Klänge noch objektbezogen als »Sprache« des Computers einsetzte, wurden sie in folgenden Opernwerken als gleichberechtigtes Tonmaterial neben Instrumenten und Gesang verwendet. Außerdem kamen Elemente der »konkreten Musik«, mehr oder weniger bearbeitete Tonbandaufnahmen von Alltagsgeräuschen, zum Einsatz. Und auch die Sprache wurde zum »Material«, indem man den Klang eines Wortes von seiner Bedeutung abkoppelte. Unverständliche Sprachfetzen, einzelne Wörter, Silben oder Buchstaben wurden zu Klangereignissen, ohne zugleich einen Inhalt zu transportieren.

Geprägt durch die Erfahrung von Faschismus und Krieg verstand sich Hans Werner Henze (1926–2012), einer der bedeutendsten und meistgespielten Komponisten der Gegenwart, als politischer Künstler, der mit seiner Musik auf die Gesellschaft einwirken wollte. Schon als Zwölfjähriger unternahm er erste kompositorische Versuche, nach dem Zweiten Weltkrieg studierte er Komposition und setzte sich mit

der Zwölfton-
technik und der
seriellen Musik
auseinander. Er
wehrte sich aber
dagegen, auf ei-
nen bestimmten
Stil festgelegt zu
werden, und ori-
entierte sich auch
an Igor Strawins-
ky und Paul Hin-
demith, über-
nahm Elemente
des Jazz, der Un-
terhaltungs- und
der Barockmusik.
Auch die Musik
seiner Wahlhei-
mat beeinflusste
ihn deutlich: 1953
übersiedelte der
Komponist nach

Italien, wo er bis zu seinem Tod überwiegend lebte. Schon in der frühen Oper *Boule-vard Solitude* (1952), einer Variante des Manon-Lescaut-Stoffes, stellte Henze seinen souveränen Umgang mit den unterschiedlichsten kompositorischen Mitteln unter Beweis. Der ärmlichen, schmerzvollen Existenz der Liebenden ist die Atonalität zu-geordnet, die bürgerlich-kapitalistische Welt erklingt in dekadenter Tonalität. Eben-so unmissverständlich ist die Orchestrierung, bei der einzelne Instrumente und In-strumentengruppen für bestimmte Charaktere und Situationen stehen. Neben *Il Re Cervo* (*König Hirsch*, 1956, zweite Fassung 1963) und *Elegie für junge Liebende* (1961) entstanden aus der Freundschaft und Zusammenarbeit mit der Schriftstellerin In-geborg Bachmann unter anderem die Opern *Der Prinz von Homburg* (1958) und *Der junge Lord* (1964), Letztere verhalf Henze zum internationalen Durchbruch. 1966 wurde sein Musikdrama *Die Bassariden* bei der Uraufführung in Salzburg umjubelt. Hatte er bis dahin in seinen Bühnenwerken unterschwellig Kritik etwa an Militaris-mus und gesellschaftlichen Zuständen in der Bundesrepublik der 1960er-Jahre ge-übt, machte Henze im Zuge der Studentenproteste 1967/68 aus seinen politischen Überzeugungen keinen Hehl. Die geplante Uraufführung seines szenischen Oratori-ums *Das Floß der Medusa* ging in Tumulten unter, nachdem er das Stück dem kurz zuvor getöteten lateinamerikanischen Revolutionär Che Guevara gewidmet hatte. Insgesamt schrieb Henze rund 40 Bühnenwerke, das letzte, die »Konzertoper« *Pha-edra*, wurde 2007 an der Berliner Staatsoper Unter den Linden uraufgeführt.

Der Komponist Hans Werner Henze bei den Proben zu seiner letzten Oper *Phaedra*, 2007

Der englische Weg in die Moderne

Mit einem Paukenschlag betrat 1945 der Engländer Benjamin Britten (1913–1978) die Musikszene. Seine Oper *Peter Grimes*, uraufgeführt wenige Wochen nach Kriegsende zur Wiedereröffnung des Londoner Sadler's Wells Theatre mit dem Tenor Peter Pears in der Titelrolle, begründete nachhaltig seinen Ruf als bedeutendster Opernkomponist seines Landes seit der Barockzeit. Inzwischen, so die Tageszeitung »The Guardian« anlässlich des 50. Todestages des Komponisten, habe *Peter Grimes* den Status einer »nationalen Volksoper« wie etwa Verdis *Nabucco* erreicht. Wie kein anderes Werk verkörpere sie eine »britische Identität« und den »Kampf um Individualität«. *Peter Grimes* erzählt vom Schicksal eines Außenseiters, der in gewissem Sinn seinem Schöpfer ähnelt. Als Individualist, Pazifist und Homosexueller gehörte Britten nicht zum gesellschaftlichen Mainstream. Über die Wahl seines Sujets sagte er:

»Ein Thema liegt mir sehr am Herzen – der Kampf des Einzelnen gegen die Masse. Je bösartiger eine Gesellschaft, desto bösartiger das Individuum.«

Im Prolog der Oper steht der Fischer Peter Grimes, der zurückgezogen am Rand des Dorfes lebt, vor Gericht. Dass sein Gehilfe bei einer Ausfahrt im Sturm ums Leben gekommen ist, stuft der Kronrichter eindeutig als Unfall ein, doch die Dorfgemeinschaft sieht das anders. Man spricht Grimes eine Schuld am Tod des Jungen zu und vermutet zudem, dass er seinen neuen Gehilfen aus dem Waisenhaus misshandelt. Um einer Konfrontation zu entgehen, wählt Grimes einen gefährlichen Weg über die Klippen zum Strand. Dabei verunglückt sein Gehilfe. Auch dieser Tod geht aus Sicht der Dorfbewohner auf Grimes' Konto. Der sieht am Ende den einzigen Ausweg darin, sich mit seinem Boot zu versenken. Ob er tatsächlich schuldig ist, lässt die Oper offen. Aber nicht nur das Verhältnis von Individuum und Gemeinschaft ist Thema; als eigentlicher Hauptakteur gilt das Meer, das sich in vier Orchesterzwischenspielen, den stimmungsvollen *Sea Interludes*, zu Wort meldet. Britten wollte damit nach eigenen Worten den »ständigen Kampf der Männer und Frauen ausdrücken, deren Überleben vom Meer abhängt«. Der Komponist verwarf in *Peter Grimes* die Großformen der Spätromantik und des Expressionismus und kehrte zur »klassischen Praxis einzelner Nummern« zurück, die den »Gefühlsausdruck einer dramatischen Situation in besonderen Momenten kristallisiert und festhält«. Zudem legte er besonderen Wert darauf, sich seinem Publikum verständlich zu machen, indem er auf den Hörern vertrautes musikalisches Material zurückgriff. Diese Prinzipien behielt er bei seinen späteren Opern bei, auch wenn er in *Death in Venice* (*Tod in Venedig*, 1973) nach der gleichnamigen Novelle von Thomas Mann mit Zwölftonreihen experimentierte. Nach *Peter Grimes* brachte Britten in beinahe jedem Jahr eine neue Oper heraus, darunter die Kammeropern *The Rape of Lucretia* (1946, *Der Raub der Lukretia*), deren Titelrolle ganz auf die Altistin Kathleen Ferrier zugeschnitten war, und

Albert Herring (1947). In *Billy Budd* (1951, revidierte Fassung 1960) und *The Turn of the Screw* (1954, *Die Drehung der Schraube*) geht es um Machtmissbrauch und die Beschädigung kindlicher Unschuld, 1960 vertonte Britten dann die Shakespeare-Komödie *A Midsummer Night's Dream (Ein Mittsommernachtstraum)*.

Während die musikalischen Experimente der europäischen Avantgarde in Großbritannien eher auf Ablehnung stießen, fand sich in den 1950er-Jahren an der Musikhochschule in Manchester eine Gruppe von Komponisten und Interpreten zusammen, die neueste Entwicklungen auf dem Kontinent aufgriffen. Zu dieser Manchester School zählt Harrison Birtwistle (* 1934), dessen erste Oper *Punch and Judy* (1968) bei ihrer Uraufführung im Rahmen des von Britten geleiteten Aldeburgh-Festivals eine heftige Kontroverse auslöste. Librettist Stephen Pruslin setzte die britische Variante des Kasperletheaters in ein von Aggressivität und Gewalt geprägtes Drama um, das besonders schockierte, weil statt der üblichen Puppen reale Menschen auf der Bühne agierten.

Die Oper *Peter Grimes* von Benjamin Britten ist eine der prägendsten Opern Großbritanniens (Szene aus einer Aufführung im Londoner Royal Opera House, Covent Garden, 1959).

Formal hält sich Birtwistle an barocke Formen, doch die Partitur ist von perkussiven Elementen und Gesangslinien in extremen Lagen bestimmt. Strukturgebendes Element sind sich wiederholende, wiedererkennbare Muster – bis in die Handlung hinein: In der 1991 uraufgeführten Oper *Gawain* werden dieselben Ereignisse aus unterschiedlichen Perspektiven gezeigt, in *The Mask of Orpheus* (1986) verschiedene Versionen des Mythos um Orpheus und Eurydike durchgespielt. Im deutschen Sprachraum am bekanntesten ist Birtwistles Oper *The Last Supper*, die 2000 an der Berliner Staatsoper Unter den Linden Premiere feierte. Darin lädt ein Geist Jesus und seine Jünger ein, mit uns in unserer Zeit noch einmal das letzte Abendmahl vor der Kreuzigung zu feiern.

Oper made in USA

Als erste eigenständige Oper Nordamerikas gilt George Gershwins Bühnenwerk *Porgy and Bess* (1935)nach dem Roman *Porgy* (1925) von DuBose Heyward. Geschildert wird das Leben in der Catfish Row, einem Slumviertel in Charleston. Insbesondere geht es um den verkrüppelten Bettler Porgy und seine Versuche, die leichtlebige Bess zu beschützen und für sich zu gewinnen. Die durchkomponierte Oper mit wenigen, dramaturgisch wirkungsvollen Sprechpassagen vereint europäische Einflüsse mit Jazz und der Musik der Afroamerikaner, der Gershwin in South Carolina nachgespürt hatte. Der Komponist verwendete eine ganze Reihe von Leitmotiven, die für einzelne Figuren, Objekte oder Orte stehen und häufig kombiniert und weiterentwickelt werden. Auch

Porgy and Bess von George Gershwin, 1935 in New York uraufgeführt, gilt als erste Oper Nordamerikas.

ganze Arien oder Songs werden immer wieder aufgegriffen: So erklingt das berühmte Wiegenlied »Summertime« allein viermal. Gershwin, der zuvor etliche Musicals (unter anderem *Lady Be Good*, 1924, und *Girl Crazy*, 1930) geschrieben hatte, wollte *Porgy and Bess* ausdrücklich als Oper verstanden wissen.

Der Italiener Gian Carlo Menotti (1911–2007), der 1928 in die USA übersiedelte, wählte für seine erste abendfüllende Oper ein politisches Thema: *The Consul* (1950), für das der Komponist mit einem Pulitzer-Preis geehrt wurde, spielt in einem nicht näher bezeichneten, totalitär regierten Land. Vergeblich bemüht sich Magda darum, für ihren Mann, den Dissidenten John, ein Visum zu bekommen. Stets ist der zuständige Konsul mit anderen Dingen beschäftigt. Am Ende wird John verhaftet, Magda begeht Selbstmord. Im Auftrag des Senders NBC schrieb Menotti die erste eigens für das Fernsehen konzipierte Oper. Das märchenhaft-sentimentale *Amahl and the Night Visitors* (*Amahl und die nächtlichen Besucher*), am 24. Dezember 1951 live ausgestrahlt, wurde in den USA zum Weihnachtsklassiker. Die Hamburger Staatsoper zeigte *Amahl* 1965 in Kombination mit dem Auftragswerk *Hilfe, Hilfe, die Globolinks*, einer Oper »für Kinder und alle, die im Herzen jung geblieben sind«. Menotti, der sich stilistisch am italienischen Verismo orientierte, machte in seiner Partitur deutlich, was er von den aktuellen musikalischen Strömungen hielt: Die außerirdischen Globolinks werden von verzerrten elektronischen Klängen begleitet und können nur durch »wirkliche Musik« gestoppt werden.

Der Komponist verfasste Libretti nicht nur für seine eigenen Opern, sondern auch für seinen ehemaligen Studienkollegen Samuel Barber (1910–1981). Dessen ebenfalls mit dem Pulitzer-Preis ausgezeichnete *Vanessa* nach den Erzählungen *Sieben*

Amahl und die nächtlichen Besucher des italienischen Komponisten Gian Carlo Menotti hat sich in Amerika zu einem Klassiker der Weihnachtsaufführungen entwickelt (Aufführung in der Deutschen Oper Berlin, 2000).

phantastische Geschichten von Tania Blixen wurde 1958 an der New Yorker Met ur-aufgeführt und galt schnell als erstes Meisterwerk der amerikanischen Oper. Barber bediente sich einer hochexpressiven, dichten Tonsprache, die sich an Filmmusik und an der Spätromantik orientierte. Ein kostspieliger Misserfolg wurde sein Bühnen-werk *Antony and Cleopatra* (1966), das die New Yorker Met zur Eröffnung ihres neu-en Standorts im Lincoln Center in Auftrag gegeben hatte. Regisseur Franco Zeffirelli, der auch für das Libretto nach William Shakespeare verantwortlich zeichnete, trug durch seine überbordende, nicht an die Gegebenheiten des Hauses angepasste Insze-nierung erheblich zum Nichtgelingen bei.

Wie Gershwin bewegte sich Leonard Bernstein (1918–1990) mit seinen Bühnen-werken auf der Grenzlinie zwischen Musical und Oper. Sein berühmtestes Werk, das Musical *West Side Story* (1957), ist heute oft auf Opernbühnen zu finden. Bernstein selbst besetzte die Hauptrollen 1984 für eine Schallplattenaufnahme mit ausgebilde-ten Opernsängern und nicht, wie im Musical üblich, mit singenden Schauspielern. Der Komponist merkte an:

»West Side Story ist keine Oper trotz ihrer starken opernhaften Elemente, aber ich dachte, das ist ein Schritt in die Richtung, die uns letztlich die ameri-kanische Oper bringen könnte.«

In die Gattung Oper werden dagegen zwei andere Werke Bernsteins eingeordnet, der Einakter *Trouble in Tahiti* (1952) und das abendfüllende *Candide* (1956) nach der Sa-tire von Voltaire aus dem Jahr 1759. Im Gegensatz zur *West Side Story* stehen sie heu-te kaum je auf dem Spielplan, die *Candide*-Ouvertüre ist allerdings ein bekanntes Konzertstück geworden.

Experimentelles Musiktheater

Zwar galt die Oper besonders in der Avantgarde als veraltet, doch schon in den 1950er-Jahren setzten Bemühungen ein, eine neue Art von Musiktheater zu erschaf-fen. Als besonders experimentierfreudig erwies sich der Amerikaner John Cage (1912–1992), der der Neuen Musik entscheidende Impulse gab. Dazu zählt die Erfindung des »präparierten Klaviers«, bei dem Papier, Holz und andere Materialien zwischen den Saiten den Klang verfremden. Cage erweiterte das Tonmaterial um Alltagsgeräusche wie das Pfeifen eines Wasserkessels, unterstrich mit seinem Klavierstück *4'33"* (1952), in dem kein einziger Ton erklingt, die Bedeutung der Stille für die Musik und führte die Aleatorik, den Zufall, in sein Werk ein: Abläufe werden im Groben festgelegt, in-nerhalb dieses Rahmens bleibt es jedoch den Interpreten überlassen, was sie wie und wann ausführen. Für seinen einzigen Beitrag zur Gattung zerlegte Cage die Oper in sämtliche Bestandteile und kommentierte das mit den Worten:

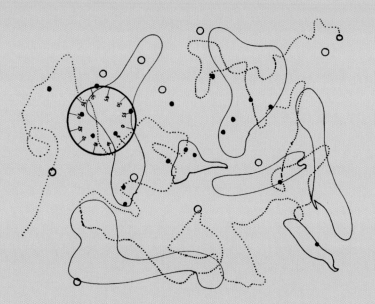

Neuartige musikalische Vorgänge erfordern oft auch ein neuartiges Notationssystem: John Cage nutzte deshalb für seine elektronische Komposition *Cartridge Music* (1960) Zeichnungen, um den Ablauf der einzelnen Aktionen darzustellen.

»200 Jahre lang haben uns die Europäer ihre Opern geschickt, jetzt schicke ich sie ihnen zurück.«

Europeras ist ein »Musiktheater aus 128 Opern in 32 Bildern«, bei dem nichts zusammenpasst: Die Sänger tragen diverse Arien aus der Opernliteratur vor, jeder Orchestermusiker spielt unabhängig von allen anderen Auszüge aus Opernpartituren des 18. und 19. Jahrhunderts, Kostüme, Bühnenbild, Requisiten und auch die Handlung sind Opern, alten Enzyklopädien oder Lexika entnommen. Die fünf Versionen von *Europeras* für unterschiedliche Besetzungen wurden zwischen 1987 und 1991 uraufgeführt.

Demgegenüber mutet das Experiment, das Boris Blacher (1903–1975) mit *Abstrakte Oper No. 1* (1953) unternahm, geradezu harmlos an. Das Stück hat keine Handlung, sondern stellt Grundsituationen des Menschen wie Liebe, Schmerz oder Angst dar, die musikalisch und szenisch umgesetzt werden. Die Anweisung für »Liebe« lautet beispielsweise: »Der Tenor bringt eine Schneiderpuppe auf die Bühne und schmückt sie. Der Sopran liebt den Tenor und wird von ihm zurückgewiesen. Zum Schluss der Szene erschießt der Sopran die Schneiderpuppe.« Der gesungene Text besteht aus einzelnen Vokalen, Silben und lautmalerischen Fantasiewörtern.

In seiner »Antioper« *Staatstheater* (1971) kombinierte Mauricio Kagel (1931–2008) verschiedene Elemente des experimentellen Musiktheaters. Das 100 Minuten lange Stück besteht aus neun Teilen, darunter »Musik für Lautsprecher« und »Ballett für Nicht-Tänzer«, deren Auswahl und Kombination den Ausführenden überlassen bleibt. Bruno Maderna (1920–1973) schuf mit *Hyperion*, erstmals zu sehen und zu hören 1964 bei der Musikbiennale in Venedig, ein offenes Kunstwerk auf der Basis von Friedrich Hölderlins Briefroman, das er bis 1970 immer wieder neu kombinierte, arrangierte und erweiterte. Er verzichtete auf Sänger als Rollenträger und machte stattdessen die Soloflöte zum Stellvertreter des verstummten Dichters. Luciano Berio (1925–2003) hob in *Passaggio* die Trennung zwischen Bühne und Zuschauerraum auf: Er platzierte einen Chor im Publikum, der das Bühnengeschehen kommentiert und damit quasi die Zuhörer und deren Reaktionen darstellt. Die Uraufführung 1963 an der Piccola Scala in Mailand wurde zu einem Skandal, wie der Komponist berichtete:

»Ich sagte dem Chor, sobald das Publikum zu rufen beginnt, solle er mit einsteigen, das letzte Wort übernehmen und improvisieren. Und genau das ist dann passiert. Einige Leute riefen ›Buffoni!‹. Der Chor nahm dieses Wort sofort auf, beschleunigte es, flüsterte es, verlängerte das ›o‹, und die Improvisation wurde zum Teil der Aufführung. Das Publikum wurde komplett hysterisch, weil es die Möglichkeit zu protestieren verloren hatte.«

Berio kehrte später mit *Opera* (1970) und *Un re in ascolto* (1984) zu geschlosseneren Aufführungsformen zurück.

Neue Einfachheit und Minimal Music

Nach den Experimenten der 1960er-Jahre, die zu einer erheblichen Entfremdung zwischen Musiktheater und Publikum geführt hatten, setzte in den 1970er-Jahren eine Rückbesinnung auf Traditionen, auf herkömmliche Gattungen und Kompositionsstile ein. Statt das musikalische Material durchzukonstruieren, rückte wieder der kreative Impuls in den Vordergrund – verbunden mit dem Wunsch, sich den Zuhörern verständlich zu machen. Hatte die Avantgarde beispielsweise Hans Werner Henze in den 1960er-Jahren »romantisierende Tendenzen« vorgeworfen, kehrte sie nun selbst zu Ausdruck und Emotionalität zurück. Führender Kopf der »Neuen Einfachheit« war Wolfgang Rihm (* 1952) – er bevorzugte allerdings Begriffe wie »Neue Vielfalt« oder »Neue Eindeutigkeit«. Mit seiner Kammeroper *Jakob Lenz* (1979) nach der Erzählung von Georg Büchner wurde er auf einen Schlag bekannt. Hier wie in *Die Hamletmaschine* (1987) nach dem Theaterstück von Heiner Müller und in *Die Eroberung von Mexiko* (1992) entwickelte Rihm mit vielfältigen kompositorischen Mitteln eindrückliche psychologische Porträts, in denen er die verschiedenen Persönlichkeitsaspekte seiner Hauptfiguren unterschiedlichen Stimmfächern zuwies.

In den USA bestand eine Reaktion auf die wachsende Komplexität avantgardistischer Musik in radikaler Reduktion. In der Minimal Music werden aus wenigen Noten bestehende Phrasen auf einem gleichmäßigen Puls mit minimalen Veränderungen wiederholt. Durch Überlappung der Phrasen entsteht ein Klangteppich, der sich

kaum merklich wandelt. Dieses Kompositionsverfahren, das bald auch Eingang in
die Popmusik fand, wendete der US-Amerikaner Philip Glass (* 1937) in Zusammenarbeit mit dem Regisseur und Designer Robert Wilson 1976 erstmals für eine Oper
an. *Einstein on the Beach* ist als eine Folge von Tableaus konzipiert und enthält gesprochene und gesungene Texte, Sänger, die im Orchestergraben platziert sind, sowie
Schauspieler und Tänzer auf der Bühne. Das Orchester besteht aus Keyboards und
weiteren elektronisch verstärkten Instrumenten. Die vieraktige Oper mit instrumen-
talen Zwischenspielen dauert fünf Stunden und wird ohne Pause gezeigt. Das Publikum ist aufgefordert, während der Aufführung herumzugehen, den Saal zu verlassen
und zurückzukehren.

Glass machte *Einstein on the Beach* zum ersten Teil einer Trilogie über Männer, die
die Welt veränderten. *Satyagraha* (1980) handelt vom Leben und Wirken Mahatma
Gandhis und ist für ein Orchester allein aus Streichern und Holzblasinstrumenten
geschrieben; *Akhnaten* (*Echnaton*, 1984) erzählt die Geschichte des ägyptischen Pha-
raos, der eine monotheistische Religion einzuführen versuchte. Dieses Werk kommt

Der Theaterautor Robert
Wilson inszenierte die
Oper *Einstein on the
Beach* von Philip Glass
2012 in London.

ganz ohne Geigen aus – denn für diese war bei der Uraufführung im Stuttgarter Schauspiel im Orchestergraben kein Platz.

John Adams (* 1947) reicherte in seinen Opern die Minimal Music durch dramatische Elemente an. Angefangen mit *Nixon in China* (1987) wählte er meist zeitgeschichtliche Themen: *The Death of Klinghoffer* (1991) handelt von der Entführung des Kreuzfahrtschiffs »Achille Lauro« durch palästinensische Extremisten, *I Was Looking at the Ceiling and Then I Saw the Sky* (1995) thematisiert Ereignisse nach dem schweren Erdbeben in Los Angeles 1994, und *Dr. Atomic* (2005) befasst sich mit dem Physiker J. Robert Oppenheimer, der 1945 auf den Tag der ersten Testzündung einer Atombombe hinarbeitet, und dessen Selbstzweifeln und Widersprüchen angesichts der zerstörerischen Erfindung.

Als die erste Video-Oper gilt *The Cave*, ein Gemeinschaftswerk der Videokünstlerin Beryl Korot und des Komponisten Steve Reich, das 1993 im Rahmen der Wiener Festwochen erstmals gezeigt wurde. Im Kern geht es um Abraham und dessen Bedeutung für Judentum, Christentum und Islam. Als feste Installation werden auf fünf Bildschirmen simultan überlagert und zeitversetzt geschachtelt Bibel- und Korantexte sowie Interviews mit Israelis, Palästinensern und Amerikanern gezeigt. Von der strukturbildenden Rolle der Sprachmelodien bei Leoš Janáček inspiriert, formte Reich aus dem vorhandenen akustischen Material meist kurzatmige repetitive Floskeln, die live von vier Sängern und einem 17-köpfigen Instrumentalensemble vorgetragen werden.

In der siebenteiligen Oper *Licht* von Karlheinz Stockhausen verschmelzen szenische, visuelle und musikalische Elemente ineinander.

Die Avantgardisten der Nachkriegszeit entdecken die Oper

Viele der Komponisten, die in den 1950er- und 1960er-Jahren zur musikalischen Avantgarde gerechnet wurden, entdeckten erst spät das Musiktheater für sich. Der Pionier der elektronischen Musik, Karlheinz Stockhausen (1928–2007), begann 1977 mit der Arbeit an dem monumentalen Zyklus *Licht*, dessen sieben Teile nach den Wochentagen benannt sind. Er strebte darin die Verbindung von szenischen, visuellen, raumakustischen und musikalischen Ideen zu einer Einheit an. Von ihm stammen nicht nur die Musik, sondern auch die Texte sowie alle Vorgaben zu Mimik, Gestik und Choreografie der Protagonisten. Da jedem der Wochentage eine bestimmte Farbe zugeordnet ist, legte er außerdem die Kostüme, die zu verwendenden Symbole und die Farbskala der Lichtregie fest. Die drei Hauptfiguren Michael, Eva und Luzifer stehen in seiner Deutung der Welt für Typen, die mit anderen Namen und Erscheinungsformen in allen Kulturen vorkommen: das Gute, Schöpferische, Geburt und Leben sowie das Böse,

Zerstörerische. Grundlage der Komposition ist eine kurze, dreistimmige »Weltformel«: Sie enthält wie ein genetischer Code bereits alle Abläufe und Dispositionen des Stücks. Mit einer Gesamtdauer von 29 Stunden ist *Licht* der längste Opernzyklus der Musikgeschichte, wurde aber bisher noch nie als komplettes Werk aufgeführt.

Die spirituelle Entwicklung des heiligen Franziskus machte der gläubige Katholik Olivier Messiaen (1908–1992), einer der Vordenker der seriellen Musik, zum Thema seiner mehr als vierstündigen Oper *Saint François d'Assise* (1983). In das genau durchstrukturierte Werk habe er »alle meine Akkordfarben, alle meine harmonischen Wendungen« integriert, erklärte der Komponist, dazu – nicht nur in der »Vogelpredigt« des zweiten Akts – »fast alle Vogelstimmen, die ich im Laufe meines Lebens notiert habe«. Für diese »Synthese meiner musikalischen Entdeckungen« bot der Komponist einen gewaltigen Klangapparat auf, wobei sich nach dem Vorbild des Gregorianischen Chorals häufig rein instrumentale Teile mit fast unbegleitetem Gesang abwechseln.

Im Fürstentum Breughelland im »soundsovielten Jahrhundert« spielt die satirische Oper *Le grand macabre* (1978) des Ungarn György Ligeti (1923–2006). Nekrotzar, der personifizierte Tod, steigt aus seinem Grab und verkündet beim Läuten der Mitternachtsglocke die Vernichtung der Menschheit. Auf diese Botschaft reagieren die Protagonisten auf unterschiedliche Weise; allerdings scheitert der Untergang der Menschheit letztlich daran, dass Nekrotzar zu betrunken ist. Ligeti setzte das absurde Geschehen in eine heterogene Partitur um, die mit der Ouvertüre von zwölf Autohupen beginnt und mit einer Collage aus der für den Komponisten typischen Verflechtung einer großen Anzahl selbstständiger Stimmen zu einem Klanggewebe (Mikropolyphonie), Geräuschen sowie Zitaten aus der Musikgeschichte und Parodien auf diverse Kompositionstechniken fortgeführt wird.

Der Pole Krzysztof Penderecki (* 1933), der zeitweilig an der Essener Folkwangschule unterrichtete, bezog sich in seiner ersten Oper, *Die Teufel von Loudun* (1969), auf ein historisches Ereignis: eine massenhafte Teufelstreibung in der französischen Stadt

Gerald Finley (rechts) als König Lear und Michael Maertens (vorne) als Narr in einer Aufführung von Aribert Reimanns *Lear* bei den Salzburger Festspielen 2017

Loudun im 17. Jahrhundert, der ein Machtkampf zwischen zentraler und lokaler Macht zugunde lag. Charakteristisch für Pendereckis Kompositionsstil zu jener Zeit ist die Erschaffung von neuen Klangbildern, die durch die Verwendung von Clustern (in engen Intervallen übereinander geschichteten Töne) Glissandi (gleitenden statt stufenweisen Veränderungen der Tonhöhe), ungewöhnlichen Instrumenten wie Säge und Windmaschine oder neuartigen Spieltechniken bei den Streichern oft an der Grenze zum Geräusch liegen und mit der ganzen Bandbreite der menschlichen Stimme zwischen Sprechen, Sprechgesang und hochartifiziellen Gesangspartien aufwarten.

Verschiedene Stoffe der Weltliteratur wählt Aribert Reimann (* 1936) für seine Opern. Einen durchschlagenden Erfolg erreichte er mit seinem dritten Bühnenwerk, *Lear* (1978) nach William Shakespeare. Der Komponist vertonte das Drama von der Isolation des Menschen, der in totaler Einsamkeit der Brutalität des Lebens wehrlos ausgesetzt ist, in einer aggressiven, die handelnden Personen genau charakterisierenden Tonsprache, die von Klangballungen, unruhiger Gesangsmelodik und der geräuschhaften Verwendung des umfangreichen Schlagwerks geprägt ist. Besonders eindrucksvoll ist die Sturmszene, in der alle 48 Streicher des Orchesters solistisch geführt eine sieben Oktaven umfassende Klangfläche im Vierteltonabstand bilden. Mit weiteren Opern, darunter *Das Schloss* (1992) nach Franz Kafka, *Alba Bernardas Haus* (2000) nach Federico García Lorca, *Medea* (2010) und *L'invisible* nach drei Kurzdramen des belgischen Symbolisten Maurice Maeterlinck, wurde Reimann zu einem der meistgespielten Komponisten der zeitgenössischen Oper.

Streckenweise an der Grenze zur Hörbarkeit verläuft Helmut Lachenmanns (* 1935) *Das Mädchen mit den Schwefelhölzern* nach dem Märchen von Hans Christian Andersen, etwa wenn die Sänger die Hände aneinander reiben, den Körper als Perkussionsinstrument benutzen oder lediglich atmen. Der Komponist ersetzt Klänge weitgehend durch Geräusche, Töne werden verfremdet, der Text dient als phonetisches Material. Auch die im ganzen Raum verteilten Instrumente werden in ungewohnter Weise behandelt: Die Streicher rauschen, zischen und knirschen. Bei aller Fremdheit erweisen sich die Höreindrücke als sehr bildmächtig. Die »Musik mit Bildern« feierte 1997 in Hamburg Premiere und gilt als eine wegweisende Musiktheaterschöpfung des ausgehenden 20. Jahrhunderts.

Tendenzen des Musiktheaters im 21. Jahrhundert

Das 20. Jahrhundert hat einen reichhaltigen Vorrat an Tonmaterial und viele neue Konzepte für die Komposition im Allgemeinen und die Gattung Oper im Besonderen hinterlassen. Die Komponisten des 21. Jahrhunderts – so scheint es – entnehmen diesem Fundus das, was sie gebrauchen können, ohne in die dogmatische Haltung früherer Generationen zu verfallen. Das Ergebnis ist eine Pluralität der Stilrichtungen. Welche dieser Werke auf Dauer bestehen können, wird sich erst in einigen Jahrzehnten erweisen.

Nachdem in 400 Jahren Gattungsgeschichte von wenigen Ausnahmen abgesehen keine Komponistinnen in Erscheinung getreten sind, erobern nun die Frauen die Opernbühne. Als eine der ersten trat 1988 die Rumäniendeutsche Adriana Hölszky (* 1953) mit *Bremer Freiheit. Singwerk auf ein Frauenleben* in Erscheinung. Es folgten unter anderem *Die Wände* (1995), *Der gute Gott von Manhattan* (2004) und *Böse Geister* (2014). Die Österreicherin Olga Neuwirth (* 1968) arbeitete mehrfach mit der Literaturnobelpreisträgerin Elfriede Jelinek zusammen, etwa bei *Bählamms Fest* (1999) und *Lost Highway* (2003) nach dem gleichnamigen Film von David Lynch. Die zerstörerische Unerbittlichkeit des Krieges zeigte die Israelin Chaya Czernowin (* 1957) in *Infinite now* (2017). Ihr Credo lautet:

»Bis zu einem bestimmten Grad kann alles, was wir hören, Musik werden.«

Die von vielen elektronischen Einspielungen unterstützte Musik liefert einen unablässigen Strom von Tönen und Geräuschen, von Dröhnen, Flüstern, Rauschen, Knirschen und Heulen, unterbrochen von stillen Momenten sowie gesprochenen und gesungenen Texten. Die wahre Geschichte von zwei weiblichen Teenagern aus Sachsen-Anhalt, die 2014 nach Syrien in den Dschihad zogen, liegt der Oper *Sacrifice* (2017) von Sarah Nemtsov (* 1980) mit dem Libretto von Dirk Laucke zugrunde. Für die Schottin Judith Weir (* 1959) bildet Folklore die Grundlage ihrer Kompositionen. Zunächst befasste sie sich vor allem mit der Musik ihrer Heimat, später bezog sie

andere Volksmusiken ein. 1987 machte sie mit *Night at the Chinese Opera* von sich reden, das im zweiten Akt als Theater im Theater den Geist der Pekingoper aufnimmt. Es folgten *The Vanishing Bridegroom* (1990) und *Blond Eckbert* (1994) nach einer Erzählung des deutschen Romantikers Ludwig Tieck sowie, als Auftragswerk der Bregenzer Festspiele, *Achterbahn* (2011) nach einem sizilianischen Märchen.

Dem Ungarn Peter Eötvös (* 1944) gelang es mit *Tri Sestri* (*Drei Schwestern*, 1998) nach dem Drama von Anton Tschechow, eine moderne Oper als Repertoirestück zu etablieren. In drei Sequenzen wird jeweils der gleiche Ablauf des Geschehens gezeigt, jedoch jedes Mal aus einer anderen Perspektive. Salvatore Sciarrinos (* 1947) Kammeroper *Luci mie traditrici* (1998, *Die tödliche Blume*) über den Renaissance-Komponisten Carlo Gesualdo di Venosa, der 1590 seine Frau und ihren Liebhaber ermordete, kommt mit einem kleinen Orchester, vier Sängern und ganz ohne Elektronik aus. Die Klänge und Melodielinien, die anfangs fast aus Gesualdos Feder zu stammen scheinen, werden im Verlauf des Stücks zu Geräuschen zerlegt.

Der Engländer Mark-Anthony Turnage (* 1960) landete im Jahr 2000 mit *The Silver Tassie* an der English National Opera einen großen Erfolg; noch im selben Jahr war das Stück in Dortmund in deutscher Erstaufführung zu sehen. Für das folgende Werk, *Anna Nicole*, 2011 am Royal Opera House uraufgeführt, griff der Komponist erneut auf eine Tonsprache zurück, die klassische Stilrichtungen mit Elementen aus Jazz, Pop und Avantgarde unterfüttert. Sein Landsmann Thomas Adès (* 1971) wurde durch die stark sexuell aufgeladene Kammeroper *Powder Her Face* (1995), aber auch durch die Shakespeare-Oper *The Tempest* (2004) bekannt, die sich durch ihre melodisch-sangliche Stimmführung und große Textverständlichkeit auszeichnet. Jonathan Dove (* 1959) bewies mit *Flight* (1998), dem Stoff, aus dem Steven Spielberg 2004 seinen Film *Terminal* machte, dass die zeitgenössische Oper auch komisch sein kann.

Für seine Trilogie über Menschen in absoluten Grenzsituationen, *Bluthaus* (2011), *Thomas* (2013) und *Koma* (2016), arbeitete der österreichische Komponist Georg Friedrich Haas (* 1953) mit dem Librettisten Händl Klaus zusammen, der auch für andere aktuelle Opern das Textbuch lieferte. Haas bevorzugt Mikrointervalle und erzeugt damit sirrende, dissonante Klangwalzen; außerdem beschäftigt er sich mit der Wirkung der natürlichen Obertöne und nutzt ihr Funkeln und Schwirren für farbenreiche Klangballungen. Nach ihrer Uraufführung 2012 im Rahmen des Festival d'Aix-en-Provence wurde die erste Oper von George Benjamin (* 1960), *Written on Skin*, an sieben weiteren Bühnen herausgebracht. Martin Crimp verfasste das Libretto nach einer provençalischen Ballade aus dem 13. Jahrhundert: Ein reicher Landbesitzer lädt einen jungen Künstler in sein Haus ein, damit dieser ihn und sein Wirken in einem Buch verewigt. Seine blutjunge Ehefrau Agnès verliebt sich in den Künstler. Als ihre Untreue ruchbar wird, tötet ihr Mann den Rivalen und serviert Agnès dessen Herz.

160
161
Die Geschichte der Oper | Stilistische Vielfalt nach 1945
Tendenzen des Musiktheaters im 21. Jahrhundert

Benjamin kleidet das Geschehen in hochexpressive und sehr sangliche Musik und setzt ungewöhnliche Instrumente wie Glasharmonika, Kuhglocken und Mandolinen ein. Seine jüngste Oper, *Lessons in Love and Violence* (2018), entstand als gemeinsames Auftragswerk von sieben großen Opernhäusern.

Das Sydney Opera House wurde 1973 eingeweiht und gilt bis heute als eines der modernsten Opernhäuser der Welt.

INFO

Sydney Opera House

Dank seiner markanten Dachkonstruktion zählt das Opernhaus in der australischen Metropole Sydney zu den bekanntesten Wahrzeichen der Welt, und es gehört seit 2007 zum UNESCO-Weltkulturerbe. Zunächst hatte der Bau allerdings vor allem Ärger gemacht: Ende der 1940er-Jahre begann man mit den Planungen für das Opernhaus, den ausgeschriebenen Wettbewerb gewann 1957 der dänische Architekt Jörn Utzon, 1959 starteten die Bauarbeiten. Streitigkeiten über die technische Ausführung, nachträgliche Änderungen am Entwurf, Verzögerungen im Zeitplan und explodierende Baukosten führten dazu, dass Utzon sich 1966 aus dem Projekt zurückzog; eine andere Architektengruppe wurde mit dem Innenausbau betraut. Am 20. Oktober 1973 konnte das Sydney Opera House schließlich offiziell eröffnet werden – nicht mit einer Oper, sondern mit Ludwig van Beethovens 9. Sinfonie und der abschließenden *Ode an die Freude*.

OPERNBETRIEB HEUTE

150 Opern bilden den Kern des Repertoires

In den ersten beiden Jahrhunderten ihrer Gattungsgeschichte waren Opern so aktuell wie die heutige Popmusik. Das Publikum verlangte stets nach neuen Stücken, und nur wenige Werke »überlebten« mehr als eine Saison. Niemand wollte noch die »Hits« vom vergangenen Jahr hören. Heutzutage sind historische Opern der Regelfall: In der Saison 2013/14 gab es nach einer Erhebung des Deutschen Bühnenvereins an den 83 deutschen Stadt-, Staats- und Landestheatern mit Opernbetrieb 64 Uraufführungen mit zusammen 552 Vorstellungen; demgegenüber wurde allein Mozarts *Zauberflöte* in 36 verschiedenen Produktionen 253 Mal gespielt. Der Intendant Claus Helmut Drese, langjähriger Direktor der Opernhäuser in Zürich und Wien, bemerkte schon 1990:

»Seit zwei Generationen leben wir in unseren Spielplänen vom Bestand. Wir graben das historische Repertoire um, entdecken, erneuern, experimentieren und täuschen uns so die Lebendigkeit der Oper vor [...]. Wir jagen einander die besten Sänger ab, formieren uns um Dirigenten und Regisseure und trauen ihnen zu, eine sterbende Kunst zu neuem Leben zu erwecken. Entscheidend für die Zukunft des musikalischen Theaters sind ausschließlich die Komponisten. Ihnen muss die Metamorphose der Tradition in neue Ausdrucksformen gelingen.«

Bislang haben nur sehr wenige zeitgenössische Komponisten die geforderte Metamorphose vollziehen können. Der überwiegende Teil des Publikums lässt sich nur sehr langsam auf die Veränderungen der Gattung ein, allerdings wächst die

Toleranz gegenüber den »Neutönern«, deren Werke vor einigen Jahrzehnten noch mit Buhrufen und Türenknallen quittiert wurden. Möglicherweise bahnt sich ein allmählicher Wandel der Hörgewohnheiten an. Einstweilen bleibt jedoch das Repertoire im Wesentlichen auf wenige Komponisten vornehmlich aus dem 19. und beginnenden 20. Jahrhundert beschränkt. Giuseppe Verdi, Giacomo Puccini und natürlich Wolfgang Amadeus Mozart führen in wechselnder Reihenfolge weltweit die Liste der meistgespielten Opernkomponisten an, dahinter rangieren in der Saison 2018/19 in Deutschland Richard Wagner, Gioacchino Rossini und Richard Strauss. Von den etwa 6000 bekannten Opern werden nur rund 150 regelmäßig gespielt. Für Abwechslung im Repertoire sorgen Wiederentdeckungen aus früheren Epochen, auch wenn Kritiker dagegenhalten, es gebe keine zu Unrecht vergessenen Opern. Dabei handelt es sich zum Beispiel um weniger bekannte Werke vielgespielter

Carmen von Georges Bizet gehört bis heute zu den beliebtesten und am häufigsten aufgeführten Opern in Deutschland.

Komponisten wie Strauss' *Die ägyptische Helena*, oft aber auch um Opern aus den ersten Jahrzehnten des 20. Jahrhunderts, deren Schöpfer während des Nationalsozialismus verfolgt wurden, beispielsweise *Schwanda, der Dudelsackpfeifer* des Tschechen Jaromir Weinberger. Den größten Fundus für Wiederentdecktes legte jedoch der französische Regisseur Jean-Pierre Ponelle frei, als er Ende der 1970er-Jahre gemeinsam mit dem Dirigenten Nikolaus Harnoncourt am Opernhaus Zürich Claudio Monteverdis Opern neu inszenierte. Hatte die Barockoper bis dahin als langweilig und verstaubt gegolten und war mehr oder weniger in Vergessenheit geraten, zeigte sie sich nun als packendes Bühnenspektakel. Seither werden aus dieser Fundgrube immer neue Schätze gehoben, in jüngster Zeit die Opern Antonio Vivaldis. Die

Wiederentdeckung der Barockoper hat das Stimmfach des Countertenors zu neuen Ehren gebracht. Dank einer besonderen Gesangstechnik können Countertenöre wie Andreas Scholl oder Philippe Jaroussky die Partien in Alt- und Sopranlage übernehmen, die ursprünglich für Kastraten geschrieben wurden.

Regietheater zeigt neue Deutungen

Als man im 19. Jahrhundert dazu überging, neben aktuellen Werken auch Opern aus früheren Zeiten auf die Bühne zu bringen, wurden diese in der Regel dem Zeitgeschmack und der gegenüber der Entstehungszeit veränderten Sicht auf Stoffe, Themen und Motive angepasst. Besonders ruppig war beispielsweise der Umgang mit Mozarts *Così fan tutte*: Weil man die darin vorgenommene Liebes- und Treueprobe als unmoralisch empfand, wurde kurzerhand der Text geändert. Ebenso wurden Bühnenbild und Ausstattung dem aktuellen Geschmack entsprechend gestaltet, und der Klang der Musik veränderte sich nicht nur durch die technische Weiterentwicklung der Instrumente, der Spiel- und Gesangstechnik, sondern auch entsprechend den Vorstellungen der Aufführungszeit: So waren in der zweiten Hälfte des 19. Jahrhunderts die Orchester gegenüber der Mozart-Zeit deutlich größer geworden, ihr Klang war voller und »romantischer«. Je länger die Zeitspanne zwischen Entstehung und Aufführung eines Werks, desto mehr bedurfte es zudem einer Erklärung der Handlung, leben doch Komponist und Publikum nicht mehr in derselben Wirklichkeit. So entstand im Verlauf des 20. Jahrhunderts der Beruf des Musiktheaterregisseurs, der in Zusammenarbeit mit dem Dirigenten die Gestaltung des Werkes, seine szenische und musikalische Umsetzung festlegt.

Ein Wegbereiter dieser Entwicklung war Otto Klemperer, von 1927 bis 1931 künstlerischer Leiter der Berliner Krolloper und ein Schüler des inszenierenden Dirigenten Gustav Mahler. Er feierte seine Premiere mit einer Inszenierung von Beethovens *Fidelio* ohne naturalistische Details, aber mit einer stringenten Licht- und Farbregie. Der Musikkritiker Werner Oehlmann befand:

»Es war, als sei alles Verhüllende und Verfälschende, was Konvention und Gewohnheit dem Werk angehängt hatten, abgerissen und ausgeschieden, als trete Beethovens Idee in reiner Ursprünglichkeit vor Auge und Ohr.«

Nach dem Zweiten Weltkrieg entwickelte Walter Felsenstein an der Komischen Oper Berlin ab 1947 sein realistisches Musiktheater. Sein Ziel war die glaubhafte und überzeugende Darbietung, wobei die Werktreue – szenisch und musikalisch – an erster Stelle stand. Zudem legte er größten Wert auf Verständlichkeit und ließ deshalb fremdsprachige Werke stets in deutscher Sprache aufführen; viele der

Übersetzungen fertigte er selbst an. Bis weit in die 1960er-Jahre wurden Opern in der jeweiligen Landessprache des Aufführungsortes gesungen, also Verdi in München auf Deutsch und Wagner in Mailand auf Italienisch. Dann leitete der Dirigent Herbert von Karajan eine Wende ein. Mit der Begründung, die Einheit von Wort und Musik gehe bei übersetzten Libretti verloren, setzte er die Aufführung in der Originalsprache durch. Heutzutage wird die Textverständlichkeit in aller Regel durch Übertitel gewährleistet.

Mit seiner Modernisierung der Bayreuther Festspiele setzte Wieland Wagner (der Enkel des Komponisten) in den 1950er-Jahren Maßstäbe für die Trends, die in der Folge die Musiktheaterregie bestimmten: Verfremdung und Psychologisierung. Er arbeitete mit Licht, Farbe und präzise festgelegten Bewegungsabläufen auf der Bühne, verzichtete aber gänzlich auf Requisiten und Realismus. Tumulte löste 1976 Patrice Chéreaus Bayreuther »Jahrhundertring«, die Inszenierung von Richard Wagners *Ring des Nibelungen* zum 100. Jubiläum der Erstaufführung, aus. Der französische Film-, Theater- und Opernregisseur versetzte die Handlung aus dem üblichen mythologischen Rahmen in die Gründerzeit und interpretierte das Werk als eine Parabel auf

Der Opernregisseur Walter Felsenstein und seine Schauspieler bei der Probe zu Shakespeares *Was ihr wollt* in der Komischen Oper Berlin, 1949

bis heute Aufsehen; hier eine Aufführung von *Salome* von Richard Strauss in der Berliner Staatsoper Unter den Linden, 2018.

die sozioökonomischen Umbrüche des 19. Jahrhunderts. Die zunächst umstrittene Inszenierung wurde zu einem Meilenstein der Opernregie.

Den nächsten großen Inszenierungsskandal verursachte Hans Neuenfels, als er 1981 in seiner Fassung von Verdis *Aida* in Frankfurt am Main die Titelfigur als Putzfrau auf die Bühne schickte. Auch Ruth Berghaus, Harry Kupfer und Robert Wilson boten in den 1980er-Jahren provozierende Deutungen des Repertoires. Schließlich gab es sogar Eingriffe in den musikalischen Ablauf: Peter Konwitschny ließ ab den 1990er-Jahren Arien unterbrechen, vertonte Texte gesprochen vortragen oder verlegte die Pause in die Mitte eines Aktes. Auch wenn das Regietheater immer wieder heftige, ja erbitterte Debatten entzündet und manch einem Regisseur vorgeworfen wird, seine Inszenierung diene nicht dem Werkverständnis, sondern nur der eigenen Originalitätssucht, werden heute Opern zum Bedauern der Traditionalisten nur noch selten in historischen Kostümen und mit naturalistischem Bühnenbild dargeboten.

Star-, Event- oder Ensembletheater

Ohne Sänger keine Oper – dieser Satz gilt zumindest für das traditionelle Repertoire. Schon in der Barockzeit huldigte das Publikum den Gesangsstars, Theater suchten sich gegenseitig ihre herausragenden Sänger abzuwerben. Zunächst waren es Kastraten wie Farinelli, die in der Zuschauergunst ganz oben standen, im 19. Jahrhundert galt die Verehrung vor allem Sängerinnen wie Wilhelmine Schröder-Devrient, den Belcanto-Stars Giuditta und Giulia Grisi oder der Koloratursopranistin Adelina Patti. Zum ersten Gesangsstar des 20. Jahrhunderts wurde der Tenor Enrico Caruso, nicht zuletzt dank des neuen Mediums Schallplatte, und bis heute gilt die Sopranistin Maria Callas (1923–1977) besonders wegen der Ausdruckskraft, mit der sie ihre Partien interpretierte, als *Primadonna assoluta*.

Noch immer reicht der Name eines international gefeierten Gesangssolisten auf dem Besetzungszettel, um aus einer Opernaufführung ein Event zu machen. Dank digitaler Technik können immer mehr Menschen an solchen Ereignissen teilhaben. Viele der weltweit führenden Opernhäuser wie die New Yorker Metropolitan Opera übertragen ihre Vorstellungen per Livestream (und gegen Gebühr) im Internet oder auf Kinoleinwände. Darüber hinaus sind viele herausragende Opernevents mitgeschnitten und als DVD veröffentlicht. Dies geschieht schon allein aus Kostengründen. Die Gagen der Weltstars haben schwindelnde Höhen erreicht, und gerade weil die meisten der aufgeführten Bühnenwerke den Zuschauern hinlänglich bekannt sind, werden nicht nur an die Sänger, sondern auch an Inszenierung und Ausstattung hohe – und

Die Sopranistin Maria Callas, 1955

entsprechend kostenintensive – Ansprüche gestellt. Noch deutlicher wird der Event-Charakter der Oper im Rahmen der großen Festivals etwa in Salzburg oder Bayreuth, in der Arena von Verona oder auf der Seebühne in Bregenz, bei denen die Nachfrage das Kartenangebot zumeist erheblich übertrifft. Typisch für den Opernbetrieb an den deutschen Theatern und Opernhäusern ist gleichwohl das Ensembleprinzip mit fest engagierten Sängerinnen und Sängern, und das ist nicht unbedingt von Nachteil. Zwar stehen keine Weltstars auf der Bühne; dafür sind die Akteure aufeinander eingespielt, sie haben das Stück zusammen geprobt, besitzen ein gemeinsames künstlerisches Konzept und zeigen, wenn alles gut läuft, eine starke Gemeinschaftsleistung. Auf diese Weise kommen in Deutschland jährlich etwa 6800 Opernaufführungen zustande, mehr als in jedem anderen Land der Erde und rund viermal so viele wie in den USA, den Zweitplatzierten. Rund 7,5 Millionen Besucher wurden hierzulande in den Musiktheateraufführungen der Spielzeit 2015/16 gezählt, davon etwa 3,9 Millionen in der Oper.

Blick in den Zuschauerraum der Semperoper, Dresden

Die meistgespielten Opern

Nach der Statistik des Deutschen Bühnenvereins standen in der Saison 2016/17 die folgenden Werke am häufigsten auf dem Spielplan der deutschen Opernhäuser:

Hänsel und Gretel von Engelbert Humperdinck: 246 Aufführungen/33 Inszenierungen

Die Zauberflöte von W. A. Mozart: 237/23

Carmen von Georges Bizet: 189/24

Le nozze di Figaro (Die Hochzeit des Figaro) von W. A. Mozart: 168/22

Tosca von Giacomo Puccini: 157/21

La Bohème von Giacomo Puccini: 150/19

Rigoletto von Giuseppe Verdi: 130/16

Il barbiere di Siviglia (Der Barbier von Sevilla) von Gioacchino Rossini: 127/13

Der fliegende Holländer von Richard Wagner: 125/19

L'elisire d'amore (Der Liebestrank) von Gaetano Donizetti: 99/14

Don Giovanni von W. A. Mozart: 97/13

Die Entführung aus dem Serail von W. A. Mozart: 88/13

Così fan tutte von W. A. Mozart: 83/14

Lucia di Lammermoor von Gaetano Donizetti: 75/12

Turandot von Giacomo Puccini: 74/9

1600–1700

- 1600: Anlässlich der Hochzeit Heinrichs IV. von Frankreich mit Maria de' Medici wird in Florenz Iacopo Peris Oper *L'Euridice* gespielt. Als erstes Werk der neuen Gattung Oper gilt Peris *La Dafne*; das Werk erklang in der Karnevalssaison 1598, ist aber großenteils verschollen.

- 1607: Im herzoglichen Palast in Mantua wird zum Geburtstag von Francesco IV. Gonzaga Claudio Monteverdis Oper *Orfeo* uraufgeführt.

- 1620: Die puritanischen »Pilgerväter«, die in England wegen ihrer religiösen Anschauungen verfolgt werden, überqueren an Bord der »Mayflower« den Atlantik und siedeln sich in Massachusetts an.

- 1637: Mit dem Teatro San Cassiano wird in Venedig das erste öffentliche Opernhaus eröffnet. Zur Premiere ist *L'Andromeda* von Francesco Manelli zu sehen.

- 1642: Der niederländische Maler Rembrandt van Rijn vollendet sein Bild *Die Nachtwache*.

- 1642–1659: Auf seinen Seereisen entdeckt der Holländer Abel Tasman Mauritius, Tasmanien und Neuseeland.

- 1648: Der Westfälische Frieden beendet den Dreißigjährigen Krieg, der besonders in Mitteleuropa schwere Verwüstungen hinterlassen hat. Schätzungsweise 3 bis 7 Mio. Menschen sind dem Kriegsgeschehen, Seuchen und Hungernöten zum Opfer gefallen.

- 1673: *Cadmus et Hermione*, die erste französische Tragédie lyrique, entsteht aus der Zusammenarbeit des Librettisten Philippe Quinault und des Komponisten Jean-Baptiste Lully.

- 1678: Am Hamburger Gänsemarkt wird das erste öffentlich-bürgerliche Opernhaus auf deutschem Boden eröffnet. Von 1722 bis zur Schließung des Hauses 1738 ist Georg Philipp Telemann Intendant der Oper.

- 1683: Die Türken belagern Wien, werden aber nach ihrer Niederlage in der Schlacht am Kahlenberg vertrieben.

- 1685: Nach der Aufhebung des Edikts von Nantes, das ihnen Glaubensfreiheit garantierte, fliehen etwa eine halbe Million Hugenotten aus Frankreich.

- 1687: In seiner Schrift *Die mathematischen Grundlagen der Naturphilosophie* formuliert der Engländer Isaac Newton sein Gravitationsgesetz, eine der Grundlagen der modernen Physik.

- 1688 oder 1689: Die Oper *Dido and Aeneas* des Engländers Henry Purcell wird in einem Mädchenpensionat aufgeführt.

- 1701–1714: Nach dem Tod des letzten spanischen

1700–1750

Habsburgers, Karl II., entzündet sich der Spanische Erbfolgekrieg mit Beteiligung vieler europäischer Mächte. Letztlich erhält Spanien mit den Bourbonen eine neue Herrscherdynastie, verliert aber einen Teil seiner Außengebiete.

- 1703: Der russische Zar Peter I. gründet Sankt Petersburg, das 1712 anstelle von Moskau Hauptstadt des Zarenreichs wird.

- 1707: England (mit Wales) und Schottland vereinen sich zum Königreich Großbritannien.

- 1710: In Meißen lässt der sächsische Kurfürst August der Starke die erste europäische Porzellanmanufaktur gründen.

- 1717: Zur Verbreitung aufklärerischer Ideale wird in England der internationale Geheimbund der Freimaurer gegründet.

- 1719: Mit der von ihm geleiteten Royal Academy of Music baut Georg Friedrich Händel in London ein sehr erfolgreiches Opernunternehmen auf. Seine Ära endet, als 1728 die satirische *Beggar's Opera* Furore macht.

- 1723: Johann Sebastian Bach wird Kantor der Leipziger Thomaskirche.

- 1731: In Dresden beginnt Hofkapellmeister Johann Adolph Hasse seine 30-jährige Amtszeit, in der er die Stadt zu einem Zentrum der italienischen Oper macht.

- 1732: Der schwedische Naturforscher Carl von Linné veröffentlicht sein Hauptwerk *Systema Naturae*, in dem er Pflanzen- und Tierarten in Gattungen einteilt.

- 1733: Das Intermezzo *La serva padrona* des italienischen Komponisten Giovanni Batista Pergolesi trägt viel zur Stilbildung der Opera buffa bei.

- 1740–1786: Die Regierungszeit des preußischen Königs Friedrich II. steht im Zeichen des aufgeklärten Absolutismus. Der Herrscher fördert das kulturelle Leben in Berlin, unter anderem durch den Aufbau der Königlichen Hofoper.

- 1748: Mit dem Friedensschluss in Aachen endet der Erbfolgekrieg um die österreichische Krone. Die seit 1740 regierende Maria Theresia wird als Kaiserin anerkannt. Die bayerischen Wittelsbacher hatten der weiblichen Thronfolge widersprochen und waren von Frankreich und Spanien unterstützt worden.

1750–1800

- 2. Hälfte des 18. Jhs.: Großbritannien wird zum Ausgangspunkt der industriellen Revolution und der damit einhergehenden tiefgreifenden wirtschaftlichen und gesellschaftlichen Veränderungen.
- 1752–1754: An der Pariser Opéra tobt der sogenannte Buffonistenstreit zwischen Anhängern der französischen und denen der italienischen Oper.
- 1756–1763: Mit der preußischen Invasion in Sachsen beginnt der Siebenjährige Krieg, in den mehrere europäische Großmächte eingreifen.
- 1762: Christoph Willibald Gluck vollendet seine erste »Reformoper« *Orfeo ed Euridice*.
- Um 1765–85: Die literarische Strömung des Sturm und Drang findet ihren Ausdruck unter anderem in Johann Wolfgang von Goethes Briefroman *Die Leiden des jungen Werthers* und Friedrich Schillers Drama *Die Räuber*.
- 1776: Mit ihrer Unabhängigkeitserklärung sagen sich 13 britische Kolonien in Nordamerika vom Mutterland los.
- 1778: Die Mailänder Scala eröffnet mit Antonio Salieris Oper *L'Europa riconosciuta*.
- 1782: Wolfgang Amadeus Mozart erzielt in Wien mit seinem Singspiel *Die Entführung aus dem Serail* einen großen Erfolg.
- 1783: Der Heißluftballon der Brüder Montgolfier erfüllt erstmals den Menschheitstraum vom Fliegen.
- 1784: Immanuel Kants Schrift *Was ist Aufklärung?* erscheint.
- 1788: Mit der Landung der ersten britischen Sträflinge beginnt die weiße Besiedlung Australiens.
- 1789: Die Französische Revolution nimmt mit dem Sturm auf die Pariser Bastille ihren Anfang.
- 1799: Napoleon Bonaparte reißt in Frankreich mit einem Staatsstreich die Macht an sich und beendet die Revolution.

1800–1850

- 1804: Das napoleonische Zivilgesetzbuch garantiert persönliche Freiheit, Rechtsgleichheit, privates Eigentum und die Zivilehe.
- 1814: In Wien wird Ludwig van Beethovens Oper *Fidelio* in ihrer dritten und endgültigen Fassung uraufgeführt.
- 1815: Auf dem Wiener Kongress wird die Machtbalance in Europa neu austariert.
- 1816: Die komische Oper *Der Barbier von Sevilla* von Gioacchino Rossini erlebt im Teatro Argentina in Rom ihre Uraufführung.
- 1821: In Berlin feiert Carl Maria von Webers Oper *Der Freischütz* Premiere.
- 1824: Mit seinem Sieg bei Ayacucho in Peru beendet Simón Bolívar faktisch die spanische Kolonialherrschaft in Südamerika.
- 1831: *Norma* ist nach *La Somnambula* innerhalb weniger Monate die zweite große Oper, deren weibliche Hauptrolle Vincenzo Bellini genau auf die gefeierte italienische Sopranistin Giuditta Pasta zuschneidet.
- 1832: Gaetano Donizettis heitere Oper *Der Liebestrank* wird in Mailand uraufgeführt.
- 1834: Der Deutsche Zollverein tritt in Kraft, der aus dem in Kleinstaaten zersplitterten Deutschland einen einheitlichen Wirtschaftsraum macht.
- 1836: Michail Glinkas *Ein Leben für den Zaren* gilt als erste russische Oper.
- 1837: Die komische Oper *Zar und Zimmermann* von Albert Lortzing feiert am Stadttheater Leipzig ihre Premiere.
- 1837–1901: Unter Königin Viktoria steigt Großbritannien zur weltweit bedeutendsten Wirtschaftsmacht auf.
- 1848/49: Eine Welle revolutionärer Bewegungen erfasst weite Teile Europas. In Deutschland scheitert der Versuch, einen Nationalstaat zu bilden.

1850–1900

- 1851–1853: Giuseppe Verdi vollendet seine Erfolgstrias, die Opern *Rigoletto*, *Der Troubadour* und *La Traviata*.
- 1855: Jacques Offenbach eröffnet sein Theater »Les Bouffes Parisiens«, die Geburtsstätte der französischen Operette.
- 1859: Mit seiner Schrift *Über die Entstehung der Arten* revolutioniert Charles Darwin das geltende Menschenbild.
- 1861: In Russland wird die Leibeigenschaft von rund 40 Millionen Bauern aufgehoben.
- 1861–1865: Der amerikanische Bürgerkrieg, der sich an der Sklavenfrage entzündet hat, endet mit dem Sieg der Nordstaaten.
- 1866: In Prag ist die Uraufführung von Bedřich Smetanas Oper *Die verkaufte Braut* zu sehen.
- 1867: Karl Marx veröffentlicht *Das Kapital*.
- 1871: Das Deutsche Kaiserreich wird gegründet.
- 1875: Georges Bizets Oper *Carmen* stößt bei der Premiere in Paris auf ein geteiltes Echo.
- 1876: Im Festspielhaus in Bayreuth wird Richard Wagners Opern-Tetralogie *Der Ring des Nibelungen* erstmals vollständig aufgeführt.
- 1879: Die Oper *Eugen Onegin* von Pjotr I. Tschaikowski feiert in Moskau Premiere.
- 1883–1889: Mit seiner Sozialgesetzgebung – Kranken-, Unfall-, Alters- und Invalidenversicherung – sucht der deutsche Reichskanzler Otto von Bismarck den Einfluss der Sozialdemokratie auf die Arbeiterschaft einzudämmen.
- 1892: Ein Hauptwerk des italienischen Verismo, *Der Bajazzo* von Ruggiero Leoncavallo, wird in Mailand erstmals aufgeführt.
- 1893: Giacomo Puccini landet mit seiner Oper *Manon Lescaut* einen Welterfolg.

1900–1945

- 1902: In Paris wird die Oper *Pelléas et Mélisande* des Impressionisten Claude Débussy uraufgeführt.
- 1904: Im Tschechischen Nationaltheater in Brünn ist erstmals die Oper *Jenufa* von Leoš Janáček zu sehen.
- 1905: *Salome* von Richard Strauss nach dem gleichnamigen Drama von Oscar Wilde, eine der ersten Literaturopern, wird in Dresden uraufgeführt.
- 1909: Arnold Schönberg vollendet seinen Einakter *Erwartung*, in dem er das System der Dur-Moll-Harmonik aufgibt. Uraufgeführt wird das Werk erst 1924.
- 1914–18: Der Erste Weltkrieg verändert die politische Ordnung in Europa grundlegend. Fast 10 Millionen Soldaten und weitere schätzungsweise 7 Millionen Zivilisten werden Opfer des Kriegsgeschehens.
- 1917: In Russland führt die Oktoberrevolution zur Gründung des ersten sozialistischen Staates.
- 1920: Erich Wolfgang Korngolds erstes abendfüllendes Bühnenwerk *Die tote Stadt* feiert zeitgleich in Hamburg und Köln Premiere.
- 1925: Alban Bergs Oper *Wozzeck* gilt als ein Höhepunkt des musikalischen Expressionismus.
- 1928: Kurt Weill und Bertolt Brecht feiern mit der *Dreigroschenoper* einen der größten Theatererfolge der Weimarer Republik.
- 1929: Der »Schwarze Freitag« an der New Yorker Börse markiert den Beginn der Weltwirtschaftkrise.
- 1933: In Deutschland übernehmen die Nationalsozialisten die Macht.
- 1934: Nach ihrer Uraufführung in Leningrad wird Dmitri Schostakowitschs Oper *Lady Macbeth von Mzensk* zwei Jahre erfolgreich gespielt, bevor sie der Zensur zum Opfer fällt.
- 1935: Die erste amerikanische Oper, *Porgy and Bess* von George Gershwin, feiert am New Yorker Broadway Premiere.
- 1938: In seiner Oper *Mathis der Maler* stellt Paul Hindemith Reflexionen über das Verhältnis des Künstlers zur Politik an.
- 1939: Die faschistischen Truppen entscheiden den Spanischen Bürgerkrieg für sich.
- 1939–1945: Der Zweite Weltkrieg fordert 45 Mio. Todesopfer.
- 1941–1945: Etwa 6 Mio. europäische Juden werden systematisch durch die Nationalsozialisten ermordet.

1945 – 1989

- 1945: Die USA werfen über den japanischen Städten Hiroshima und Nagasaki Atombomben ab.
- 1945: Benjamin Brittens Werk *Peter Grimes* zählt auch im deutschsprachigen Raum zu den meistaufgeführten Opern der gemäßigten Moderne.
- 1946: In Darmstadt werden die Internationalen Ferienkurse für Neue Musik begründet.
- 1949: Mit der Bundesrepublik und der DDR bestehen auf deutschem Boden zwei separate Staaten.
- 1951: Igor Strawinskys Oper *The Rake's Progress* ist – so der nicht mehr gebräuchliche deutsche Titel – die Geschichte eines Wüstlings.
- 1957: Auf ein historisches Ereignis nimmt Francis Poulencs Oper *Dialogue des Carmélites*, uraufgeführt an der Mailänder Scala, Bezug.
- 1960: 17 afrikanische Staaten erlangen ihre Unabhängigkeit.
- 1961: Der sowjetische Kosmonaut Juri Gagarin ist der erste Mensch im All.
- 1964: Die Uraufführung der Oper *Der junge Lord* verhilft Hans Werner Henze zum internationalen Durchbruch.
- 1965: In Köln wird die Oper *Die Soldaten* von Bernd Alois Zimmermann uraufgeführt, in der verschiedene Zeitebenen parallel zueinander ablaufen.
- 1973: Das von Jörn Utzon entworfene Sydney Opera House wird eröffnet.
- 1975: Der Vietnamkrieg endet nach 30 Jahren mit dem Sieg der kommunistischen Vietkong und Nordvietnams.
- 1976: *Einstein on the Beach* von Philip Glass ist die erste Oper, die der sogenannten Minimal Music zugerechnet wird.
- 1977: Der Terrorismus der Roten-Armee-Fraktion in der Bundesrepublik erreicht seinen Höhepunkt.
- 1978: Aribert Reimann erreicht mit seiner Oper *Lear* einen durchschlagenden Erfolg.
- 1983: In Paris erlebt Olivier Messiaens einzige Oper *Saint François d'Assise* ihre Uraufführung.
- 1986: Im ukrainischen Atomkraftwerk Tschernobyl ereignet sich ein Super-GAU.
- 1989: Die sozialistischen Regime in Osteuropa werden durch Bürgerrechtsbewegungen gestürzt.

ab 1990

- 1990: Die deutsche Teilung ist beendet. 41 Jahre nach ihrer Gründung tritt die DDR der Bundesrepublik bei.
- 1993: *The Cave* von Steve Reich und Beryl Korot, die erste Video-Oper, wird im Rahmen der Wiener Festwochen erstmals gezeigt.
- 1994: Nelson Mandela wird zum ersten schwarzen Präsidenten Südafrikas gewählt. Damit ist das Ende der Apartheid besiegelt.
- 1997: Helmut Lachenmann macht mit seiner eher auf Geräuschen als auf Tönen aufgebauten Oper *Das Mädchen mit den Schwefelhölzern* Furore.
- 1998: Peter Eötvös' Oper *Tri Sestri* nach dem Drama *Drei Schwestern* von Anton Tschechow wird in Lyon unter der musikalischen Leitung von Kent Nagano uraufgeführt.
- 2001: Die USA werden von den verheerendsten Anschlägen in der Geschichte des internationalen Terrorismus getroffen. Fast 3000 Menschen sterben.
- 2002: In zwölf europäischen Ländern gilt der Euro als gemeinsame Währung.
- 2003: Karlheinz Stockhausen vollendet seinen siebenteiligen Opernzyklus *Licht*.
- 2003: *Lost Highway*, eine Oper von Olga Neuwirth nach dem gleichnamigen Film von David Lynch, hat in Graz Premiere. Das Libretto stammt von der Schriftstellerin Elfriede Jelinek.
- 2007: Apple bringt mit dem iPhone das erste Smartphone auf den Markt. Es verändert das Kommunikationsverhalten radikal.
- 2009: Barack Obama ist der erste Afroamerikaner im Amt der US-Präsidenten.
- 2011: Bei den Bregenzer Festspielen hat das Auftragswerk *Achterbahn* von Judith Weir Premiere.
- 2011: Im japanischen Atomkraftwerk Fukushima kommt es nach einem Erdbeben und einem Tsunami zum Super-GAU.
- 2012: Im Rahmen des Festival d'Aix-en-Provence wird die erste Oper von George Benjamin, *Written on Skin*, uraufgeführt.
- 2016: In einem Referendum sprechen sich die Briten mit knapper Mehrheit für den Austritt ihres Landes aus der Europäischen Union aus.
- 2017: Die Oper *Sacrifice* von Sarah Nemtsov handelt von jungen Frauen, die nach Syrien in den Dschihad ziehen.

LITERATUREMPFEHLUNGEN

Allgemeine Darstellungen

- Carolyn Abbate, Roger Parker: Eine Geschichte der Oper: Die letzten 400 Jahre, München 2013.
- Barbara Beyer: Warum Oper?, Berlin 2006.
- Iso Camartin: Opernliebe: Ein Buch für Enthusiasten, München 2015.
- Carl Dahlhaus u. a. (Hg.): Pipers Enzyklopädie des Musiktheaters, 6 Bände und Register, München und Zürich 1986–1997.
- Jens Malte Fischer: Oper – das mögliche Kunstwerk, Anif/Salzburg 1991.
- Jens Malte Fischer: Vom Wunderwerk der Oper, Wien 2007.
- Sabine Henze-Döhring, Sieghart Döhring: Die 101 wichtigsten Fragen – Oper, München 2017.
- Arnold Jacobshagen (Hg.): Praxis Musiktheater. Ein Handbuch, Laaber 2002.
- Arnold Jacobshagen, Elisabeth Schmierer (Hg.): Sachlexikon des Musiktheaters, Laaber 2016.
- Johannes Jansen: Schnellkurs Oper, Köln 1998.
- Silke Leopold, Robert Maschka: Who's who in der Oper, München/Kassel 2004.
- Richard Lorber : Oper – aber wie!? Gespräche mit Sängern, Dirigenten, Regisseuren, Komponisten. Kassel/Bärenreiter 2016.
- Peter Overbeck: Oper. 100 Seiten, Stuttgart 2019.
- David Pogue, Scott Speck: Oper für Dummies, Weinheim 2016.
- Alan Riding, Leslie Dunton-Downer: Kompakt & Visuell Oper, München 2016.
- Elisabeth Schmierer: Kleine Geschichte der Oper, Stuttgart 2001.
- Elisabeth Schmierer (Hg.): Lexikon der Oper in 2 Bänden, Laaber 2002.
- Ulrich Schreiber: Opernführer für Fortgeschrittene. Die Geschichte des Musiktheaters, 5 Bände, Kassel/Basel 1988–2007.
- Uwe Schweikert: Erfahrungsraum Oper. Porträts und Perspektiven. Stuttgart/Kassel 2018.
- Heinz Wagner: Das große Handbuch der Oper, 5. Auflage, Wilhelmshaven 2011.
- Michael Walter: Oper. Geschichte einer Institution, Stuttgart/Kassel 2016.
- Clemens Wolthens: Oper und Operette, Wien 1970.
- Dieter Zöchling: Die Oper. Farbiger Führer durch Oper, Operette, Musical, Braunschweig, 1981.

Opernführer

- Konrad Beikircher: Pasticcio Capriccio: Der allerneueste Opernführer, Köln 2017.
- Attila Csampai, Dietmar Holland: Opernführer, Neuausgabe, Freiburg 2006.
- Rolf Fath: Reclams Opernführer, 41. Auflage, Stuttgart 2017.
- Rudolf Kloiber, Wulf Konold, Robert Maschka: Handbuch der Oper, 14. Auflage, Kassel/Stuttgart 2016.
- Wolfgang Körner, Klaus Meinhardt: Der einzig wahre Opernführer: mit Operette und Musical – völlig neu inszeniert, 6. Auflage, Reinbek 2007.
- Loriots kleiner Opernführer, Zürich 2007.
- Michael Venhoff (Hg.): Harenberg Kulturführer Oper, Dortmund 2006.
- Arnold Werner-Jensen, Reinhard Heinrich: Opernführer für junge Leute: Die beliebtesten Opern von der Barockzeit bis zur Gegenwart, Mainz 2002.

Übersichten zu einzelnen Epochen

Barock
- Stephanie Hauptfleisch: Sängerkastraten am Dresdner Hof, Niederjahna 2017.
- Michael Heinemann: Claudio Monteverdi: Die Entdeckung der Leidenschaft, Mainz 2017.
- Nadine Hellriegel: Der Französische Barock: Jean-Baptiste Lully, Marc Antoine Charpentier und Jean-Philippe Rameau, Norderstedt 2008.
- Hanspeter Krellmann, Jürgen Schläder (Hg.): »Der moderne Komponist baut auf der Wahrheit«: Opern des Barock von Monteverdi bis Mozart, Stuttgart 2003.

- Silke Leopold: Die Oper im 17. Jahrhundert, Laaber 2004.
- Silke Leopold: Claudio Monteverdi. Biografie, Stuttgart 2017.
- Hans Joachim Marx (Hg.): Das Händel-Lexikon, Laaber 2010.
- Albert Scheibler: Sämtliche 53 Bühnenwerke des Georg Friedrich Händel, Köln 1995.
- Isolde Schmid-Reiter (Hg.): L'Europe Baroque. Oper im 17. und 18. Jahrhundert, Regensburg 2010.
- Dorothea Schröder: Zeitgeschichte auf der Opernbühne. Barockes Musiktheater in Hamburg im Dienst von Politik und Diplomatie (1690–1745), Göttingen 1998.
- Michael Wersin: Händel & Co. Die Musik der Barockzeit, Stuttgart 2009.

Wiener Klassik

- Gernot Gruber, Joachim Brügge (Hg.): Das Mozart-Lexikon, 2. Auflage, Laaber 2016.
- Joachim Kaiser: Who's who in Mozarts Meisteropern: Die Gestalten in Mozarts Meisteropern von Alfonso bis Zerlina, München 2017.
- Silke Leopold, Jutta Schmoll-Barthel, Sara Jeffe: Mozart-Handbuch, 2. Auflage, Kassel 2016.
- Bernd Oberhoff: Ludwig van Beethoven – Fidelio: Ein 3D-Opernführer, Berlin 2018.
- Manfred Hermann Schmid: Mozarts Opern: Ein musikalischer Werkführer, München 2009.
- Herbert Schneider, Reinhard Wiesend (Hg.): Die Oper im 18. Jahrhundert, Laaber 2001.

19. Jahrhundert

- Daniel Brandenburg, Rainer Franke und Anno Mungen (Hg.): Das Wagner-Lexikon, Laaber 2012.
- Joachim Campe: Rossini: Die hellen und die dunklen Jahre, Stuttgart 2018.
- Richard Erkens: Puccini-Handbuch. Stuttgart/Kassel 2017.
- Laurenz Lütteken: Wagner-Handbuch. Kassel/Stuttgart 2012.
- Carl Dahlhaus, Norbert Miller: Europäische Romantik in der Musik, Band 1, Oper und sinfonischer Stil 1770–1820, Stuttgart 1998.
- Sven Friedrich: Richard Wagners Opern: Ein musikalischer Werkführer, München 2012.
- Siegfried Goslich: Die deutsche romantische Oper, Tutzing 1975.
- Sabine Henze-Döhring: Verdis Opern: Ein musikalischer Werkführer, München 2013.
- Karla Höcker: Oberons Horn. Das Leben von Carl Maria von Weber, Berlin 1986.
- Malte Korff: Tschaikowsky: Leben und Werk, München 2014.
- Georg Titscher: Viva Verdi: Ein biografischer Opernführer, Wien 2012.
- Gerd Uecker: Puccinis Opern: Ein musikalischer Werkführer Taschenbuch, München 2016.
- Rudolf Wallner: Schmunzel-Belcanto (Bellini, Donizetti, Rossini): Ein ganz besonderer Opernführer, Klagenfurt 2005.

20. und 21. Jahrhundert

- Udo Bermbach: Oper im 20. Jahrhundert. Entwicklungstendenzen und Komponisten, Stuttgart 1999.
- Hans Werner Henze: Wie »Die Englische Katze« entstand. Ein Arbeitsjournal, Frankfurt am Main 1997.
- Irene Lehmann: Auf der Suche nach einem neuen Musiktheater: Politik und Ästhetik in Luigi Nonos musiktheatralen Arbeiten zwischen 1960 und 1975, Hofheim am Taunus 2019.
- Laurenz Lütteken: Richard Strauss: Die Opern. Ein musikalischer Werkführer, München 2013.
- Siegfried Mauser (Hg.): Musiktheater im 20. Jahrhundert, Laaber 2002.
- Sigrid und Hermann Neef: Deutsche Oper im 20. Jahrhundert. DDR 1949–1989, Berlin 1992.
- Heike Sauer: Traum, Wirklichkeit, Utopie: Das deutsche Musiktheater 1961–1971 als Spiegel politischer und gesellschaftlicher Aspekte seiner Zeit. Waxmann Verlag, 1994.
- Thomas Ulrich: Stockhausens Zyklus LICHT: Ein Opernführer, Köln 2017.

Fachzeitschriften

- Das Opernglas. Opernglas-Verlags-Gesellschaft, Hamburg.
- Oper! das Magazin. Verlag Ulrich Ruhnke, Berlin.
- Opernwelt. Friedrich-Berlin-Verlags-Gesellschaft, Berlin.

Bildnachweis

akg-images: 2 (Patricia Sigrist), 7, 10, 13, 15, 19 (Science Source), 20, 23, 24, 26/27, 28 (De Agostini Picture Lib. / A. Dagli Orti), 31, 32, 33 (De Agostini Picture Lib.), 34, 35, 39 (Doris Poklekowski), 40 (De Agostini Picture Library), 41, 43 (Science Source), 44, 46 (Heritage Images / Fine Art Images), 47, 48/49, 50 (Erich Lessing), 53, 55 (Liszt Collection), 56, 58, 60 (De Agostini Picture Lib. / A. Dagli Orti), 62, 64 (Joseph Martin), 65, 67, 68 (Erich Lessing), 70, 72 (Marion Kalter), 75 (Album / sfgp), 76 (Heritage Images / The Print Collector), 78 (Russian Look), 79 (© Sotheby's), 81, 85, 87, 88, (Marion Kalter), 89 (Heritage-Images / The Print Collector), 91, 95, 97, 98 (British Library), 100, 103 (British Library), 104, 105 (De Agostini Picture Library), 106 (De Agostini Picture Library / A. Dagli Orti), 108 (Heritage Images / Fine Art Images), 109, 110 (De Agostini / Archivo J. Lange), 112 (De Agostini Picture Lib. / A. Dagli Orti), 115 (World History Archive), 117 (Scence Source), 120 (De Agostini Picture Lib. / A. Dagli Orti), 122, 123, 127, 128 (Science Source), 129 (Gert Schütz), 130, 131, 135, 139 (Marion Kalter), 140 (Gerd Hartung), 143 (Ruth Berlau), 149, 150, 155 (Marion Kalter), 156 (Fototeca Gilardi), 157 (Marion Kalter), 161 (Henning Bock), **dpa / picture alliance:** 9 (Annette Riedl / dpa), 36 (Arco Images), 116 (Eventpress Hoensch), 118 (Andreas Pessenlehner / APA / picturedesk.com, 168 (imagebroker)
ullstein bild: 9, 17, (Roger-Viollet / Colette Masson), 71 (Brill), 83 Heritage Images / Fine Art Images), 93 (ArenaPAL / Scherl / Ron), 114 (iberfoto), 125 (Wecker / Reporter), 132 (Süddeutsche Zeitung Photo / Sperl), 136 (Lieberenz), 137 (smolkapresspool), 144 (Lieberenz), 147 (Lieberenz), 151 (Will), 153 (Photo12), 160 (Lieberenz), 163 (ArmaPAL / Scherl / Ron), 165 (Abraham Pisarek), 166 (Baltzer / fotojournalist), 167
public domain: 12

Hintere Umschlagseite: (v. l. n. r.): akg-images / De Agostini Picture Lib., akg-images (Marion Kalter), akg-images, ullstein bild / Lieberenz

Gedruckt auf chlorfrei gebleichtem, säurefreiem und alterungsbeständigem Papier

Bibliografische Information der Deutschen Nationalbibliothek
Die Deutsche Nationalbibliothek verzeichnet diese Publikation in der Deutschen Nationalbibliografie; detaillierte bibliografische Daten sind im Internet über http://dnb.d-nb.de abrufbar.

Gemeinschaftsausgabe der Verlage J. B. Metzler, Berlin, und Bärenreiter, Kassel
ISBN 978-3-476-04715-1 (Metzler)
ISBN 978-3-476-04716-8 (Metzler eBook)
ISBN 978-3-7618-2089-6 (Bärenreiter)

Lizenzausgabe für J.B. Metzler, Berlin. J.B. Metzler ist Teil von Springer Nature.
© 2019 Palmedia Publishing Services GmbH, Berlin

www.metzlerverlag.de
info@metzlerverlag.de
www.baerenreiter.com

Einbandgestaltung: Finken & Bumiller, Stuttgart (Foto: iStock.com)
Gestaltung und Satz: Mario Zierke, Berlin
Druck und Bindung: Gorenjski Tisk, Kranj, Slowenien

Printed in Slovenia